T. Flynn

D0921034

LETTRE SUR L'HUMANISME [1]

1. *Ueber den Humanismus*, Verlag A. Francke, Berne.

MARTIN HEIDEGGER

LETTRE SUR L'HUMANISME

TEXTE ALLEMAND
TRADUIT ET PRÉSENTÉ
PAR
ROGER MUNIER

Nouvelle édition revue

AUBIER, ÉDITIONS MONTAIGNE, PARIS

INTRODUCTION

La Lettre sur l'Humanisme *fut adressée en automne 1946 à Jean Beaufret, en réponse à plusieurs questions posées par le philosophe à Heidegger dans une précédente lettre. L' « humanisme » n'est pas le thème exclusif de ce court écrit. Souvent même, Heidegger ne l'aborde qu'indirectement, par une confrontation de sa propre pensée avec les postulats fondamentaux (« métaphysiques ») de cette vision de l'homme. L'intérêt de la* Lettre *tient avant tout dans le rappel des thèmes heideggeriens auquel cette confrontation donne lieu. A ce titre, c'est avec l'*Einleitung *à la conférence :* Was ist Metaphysik ? [1], *la meilleure introduction à la lecture de* Sein und Zeit.

1. *Was ist Metaphysik?* 7ᵉ édition. Vittorio Klostermann, Frankfurt am Main, 1953. *Einleitung* : « *Der Rückgang in den Grund der Metaphysik.* » On trouvera une traduction de ce texte, par Roger Munier, dans le numéro de juillet 1959 de la *Revue des Sciences philosophiques et théologiques* (Vrin, éd.), sous le titre : « Le Retour au Fondement de la Métaphysique. »

La pensée de Heidegger est, on le sait, dominée par cette unique question : qu'en est-il de l'essence de l'Être lui-même? Avant lui, les philosophes s'étaient déjà posé la question de l'Être, mais ils la concevaient en général comme une question portant sur la Totalité. Fondant (ou essayant de fonder) un système de la Totalité, ils pensaient répondre à la question de l'Être lui-même. Mais la question de l'Être *(die Seinsfrage) n'était nullement abordée par eux, assure Heidegger, comme la* question portant sur l'Être *(die Frage nach dem Sein). Pensant (ou croyant penser) l'Être comme tel, ils ne pensaient en réalité que l'étant comme tel, plus exactement l'être de l'étant. L'Être, qui donnait à leur pensée de se constituer en savoir de l'étant, demeurait dans l'oubli. Au départ de sa réflexion, Heidegger place l'affirmation de la « différence ontologique ». Il importe de distinguer absolument l'Être (das Sein) de l'étant comme tel (das Seiende) ou, si l'on veut, ce qui existe (= la Totalité), de l'Être (qui est au fondement de ce qui existe dans son existence même[2]). Reprenant, en un sens absolu, l'entreprise critique de Kant, Heidegger veut redescendre aux fondements mêmes de la « métaphysique » vers ce qui fonde toute question possible sur l'étant et conditionne la pensée dans son effort de dévoilement : l'Être lui-même.*

---

2. Et donc n'est *rien* de ce qui existe.

Cet horizon de tous les horizons ne saurait toute-fois être atteint dans une démarche réflexive analo-gue à celle qui a donné naissance aux grands systè-mes de la Totalité, puisque ces systèmes mêmes ne se constituaient que sur la base d'un oubli préalable de l'Être. Les vues objectivantes sur le réel permet-tent tout au plus de procéder à une élucidation de l'étant, ordonnée le plus souvent d'ailleurs à l'effica-cité de l'agir humain : elles ne donnent point accès à la lumière de l'Être. Celle-ci ne sera atteinte que dans une expérience, et c'est tout l'objet de l'analyti-que existentiale développée dans Sein und Zeit. *La question portant sur l'Être, pense Heidegger, n'est saisissable qu'à partir d'une analyse phénoménolo-gique de l'être de l'homme, unique étant à qui aient été confiées la pensée et la garde de l'Être.* Sein und Zeit *procède à cette analyse et pose, comme « exis-tential » privilégié, la* Stimmung *fondamentale de l'angoisse. L'angoisse nous ouvre à l'essentiel. Car, dans l'angoisse, expérience des limites et qui n'est donnée que rarement, dans ce que Heidegger ap-pelle : l'existence authentique, l'étant reflue dans sa totalité, le paysage rassurant de notre agir dispa-raît, nous laissant dans la solitude absolue, face à l'Innommé. Cela qui « n'est pas », n'étant plus rien d' « étant », qui nous investit dans l'angoisse et dont l'horreur tout d'abord nous submerge, est l'Être lui-même qui, dans les conditions de notre finitude présente, ne peut nous être donné que*

sous ce voile du Rien — et non pas du Néant[3]. *L'Être ne se livre à l'homme que dans ce rapport extatique auquel Heidegger donne le nom d' « Ek-sistenz ». Dans l'existence extatique, l'homme expérimente l'Être dans son don. Il est son « là », celui qui a la garde de l'Être, son « voisin », son « berger ». Revendiqué de la sorte par l'Être, assigné par lui à la garde véridique de sa vérité — et jeté dans l'ek-sistence en vue de cette garde — l'homme répond par sa pensée à l'appel de l'Être, pour que, dans cette réponse et par elle, l'Être accède à l'histoire.*

Ce sont ces différents thèmes que la Lettre sur l'Humanisme *reprend en une vue synthétique, mettant surtout en lumière :*

— Comment l'analytique existentiale développée dans Sein und Zeit *n'a de sens que si on la*

---

3. Ici est en effet le point essentiel. L'angoisse nous situe face à ce qui n'est plus rien d' « étant », à ce qui est donc pour l'étant, le rien, sa différence absolue. Mais ce qui est le non-étant : *das Nichts* n'est nullement le néant comme négatif pur : *das Nichtige*. En lui se cache le positif par essence : il est le voile même de l'Etre. L'accusation de « nihilisme » portée contre Heidegger est donc sans fondement. Heidegger part seulement des structures données de l'existence finie qui ne peut faire de l'Etre que cette expérience « négative ». Signalons toutefois que l'angoisse n'est pas le mode exclusif de la présence à l'Etre. *Sein und Zeit* la donne seulement comme une situation à cet égard privilégiée (« *eine ausgezeichnete Befindlichkeit* », p. 184.) On verra, dans la « Lettre », qu'il est d'autres modes possibles, de structure moins « négative ». Mais tous resteront issus de notre condition finie.

réfère à l' « ontologie » dont son unique objet est d'assurer les fondements;

— Comment cette « ontologie » même ne saurait s'édifier que sur la base d'une telle description phénoménologique de l'être de l'homme, seul étant auquel ait été confiée la garde de la vérité de l'Être et en qui repose le destin du dévoilement.

Heidegger s'est toujours élevé contre les interprétations psychologistes ou anthropologistes de sa pensée qui voient en elle, sinon un « existentialisme » à la manière de Sartre, du moins une « philosophie existentielle » du type jaspersien qui, faute de pouvoir se constituer en ontologie (conçue comme système de la Totalité), voit son champ d'expression réduit à une pure élucidation de l'existence. Si l'analytique développée dans Sein und Zeit *porte la dénomination d'existentiale, c'est précisément pour indiquer que cette description de l'être de l'homme n'a pas sa fin en elle-même, mais est ordonnée tout entière à l'expérience de l'Être dont elle ne veut que définir les approches. Montrer comment cette description s'ordonnait en fait à l' « ontologie », tel devait être l'objet du second volume de* Sein und Zeit *qui devait précisément avoir pour titre :* Zeit und Sein. *Dans ce second volume, en effet, tout se serait renversé. Mais s'il était possible de procéder à un éclairement de l'existence dans*

la langue de la philosophie régnante, un tel renver-
sement ne pouvait s'effectuer au moyen de cette lan-
gue même, qui restait celle de la « métaphysique ».
D'où le silence de Heidegger qui ne fut nullement,
comme on l'a dit, celui de l'échec ou l'aveu d'une
impasse à laquelle aurait abouti sa pensée, mais
bien plutôt le témoignage d'une difficile recherche,
celle de ce langage nouveau dont la mise en œuvre
se confond avec l'entreprise « ontologique » elle-
même.

Heidegger revient longuement, dans la Lettre,
sur cette vérité première. Il s'élève notamment con-
tre l'interprétation abusive de la formule de Sein
und Zeit *: «* Das Wesen des Daseins liegt in seiner
Existenz *». Sartre, on le sait, y a vu l'affirmation du*
principe suivant lequel, dans l'existant humain no-
tamment, l'existence précède l'essence. Mais, affirme
Heidegger, « le principe premier de l' « existentia-
lisme » n'a pas le moindre point commun avec la
phrase de Sein und Zeit *». L' « existence » dont il*
est question ici n'a rien à voir avec la réalité de
l'ego cogito, non plus qu'avec la notion kantienne
de réalité au sens d'objectivité de l'expérience. Dans
la Lettre, *et pour dissiper tout malentendu, Hei-*
degger écrit le mot de façon nouvelle : Eksistenz,
(souvent même en isolant la syllabe Ek-*), de façon*
à bien marquer le caractère extatique de cette struc-
ture fondamentale de l'être-homme. L'eksistence si-
gnifie bien autre chose que le fait d'exister; elle dé-
signe, dans la perspective de l' « ontologie fonda-

mentale », la présence extatique à l'Être que l'homme est appelé à soutenir dans le destin de la vérité. Dans l'eksistence, l'homme assume le Da-sein : le fait d'être-le-là. On a jadis traduit bien inexactement ce mot clé de la réflexion heidegge-rienne par l'expression « réalité humaine ». C'était interpréter en un sens anthropologique cet existen-tial qui ne désigne nullement le sujet existant, pas plus d'ailleurs que l'être-là de l'existence contin-gente. Da-sein signifie que l'homme, dans le dévoi-lement de l'Alèthéia est le « da », le « là » de l'Être, cet étant par qui l'Être a pouvoir d'être-là, de se produire comme éclaircie. Le « là », en quoi l'homme eksiste, est la zone d'éclaircie de l'Être. Tel est le sens ultime de l' « existence » dont parle Sein und Zeit. « Cet être du là, et lui seul, comporte le trait fondamental de l'ek-sistence, c'est-à-dire de l'in-stance extatique dans la vérité de l'Être. »

En ce « là » toutefois, l'homme ne se situe pas d'emblée. Il ne l'assume vraiment que dans une at-tention soutenue à la voix de l'Être qui l'appelle. Cette attention est l'essence du « souci », en quoi l'on n'a voulu voir le plus souvent qu'une des com-posantes existentielles du dasein. Sein und Zeit traite pourtant de façon explicite de « la temporalité comme sens ontologique du souci « (§ 65). La Lettre le souligne : tout souci est souci de l'Être. Il se produit au sein de l'existence accoutumée comme un rappel de la seule tâche qui incombe à

l'homme : se rendre attentif à la voix de l'Être. Semblable au berger qui dresse sa silhouette dans la plaine, l'homme doit maintenir son regard vers cet « horizon » d'où lui parviennent les voix inentendues. « L'homme est le berger de l'Être. C'est cela exclusivement que Sein und Zeit *a projet de penser lorsque l'existence extatique est expérimentée comme souci. »*

Dans l'eksistence et en vue du « là », l'homme est jeté. En ce Wurf *de l'Être s'origine le projet (Entwurf) de l'homme qui n'a, lui non plus, rien de commun avec le « projet » existentiel, conçu comme autodétermination du sujet dans et pour sa liberté. Pas plus que le* Da-sein, *l'Entwurf n'est envisagé du point de vue de l'homme. Il est réponse au* Wurf *de l'Être, sa réplique :* Ent-Wurf, *et reste issu de lui. « Ce qui jette dans le projeter n'est pas l'homme, mais l'Être lui-même qui destine l'homme à l'existence en vue d'être le « là ».*

*
* *

L'analytique de l'être de l'homme est, on le voit, constamment finalisée par l' « ontologie ». Il est certes possible d'interpréter la description phénoménologique de Sein und Zeit *en un sens moral-existentiel, mais on n'aura par là même atteint que la surface de l'œuvre. Seuls comptent, pour Heidegger, ses prolongements en vue de la « pensée de l'Être ». Même lorsqu'il traite de l' « In-der-Welt-sein » ou*

du « Verfallen »[4], *il entend préparer la réponse à l'unique question : « qu'en est-il de l'Être lui-même ? »*

Mais s'il est vrai que cette description ne vise que la venue de l'Être et son éclaircie, il n'en reste pas moins que cette venue même et cette éclaircie ne se produiront que si se produit l'eksistence. Tel est bien le sens de cette autre formule de Sein und Zeit, *reprise elle aussi dans la* Lettre *: «* Nur solange Dasein ist gibt es Sein. *» «* Il n'y a d'Être que pour autant qu'est l'être-là. *» En ce point se noue une dialectique des rapports réciproques entre l'Être et l'essence de l'homme, qui est probablement l'articulation la plus délicate de la pensée heideggerienne. Cette proposition controversée ne signifie évidemment pas que l'Être en son essence dépende de l'homme, soit un produit de l'esprit fini, mais elle rappelle qu'il ne saurait se dévoiler, se produire comme éclaircie que si l'homme répond à son appel dans l'existence extatique. Comme tel, l'Être reste « le transcendant pur et simple », antérieur à tout dévoilement, à tout projet ek-sistant. Mais il ne se dévoile que dans ce projet même. La phrase signifie : l'Être n'advient, ne se destine que dans le « là » que l'homme assume dans l'eksistence. Il reste certes maître du « là » auquel lui-même assigne l'homme, mais il n'advient propre-*

---

4. Ainsi du *Verfallen* : « *Sein und Zeit* appelle « déchéance » l'oubli de la vérité de l'Etre au profit d'une invasion de l'étant non pensé dans son essence » (p. 81).

ment qu'en lui. C'est là ce qu'on pourrait appeler sa « contingence », cette dépendance de l'ontique qui fait qu'il n' « est »[5] *pas sans l'étant (« ... dass das Sein nie west ohne das Seiende... »* Was ist Metaphysik ? 7°*édition*[6]*, p.* 46) *et moins encore sans cet étant privilégié qu'est l'homme*[7]*. Par là se trouve à nouveau justifiée l'analytique de* Sein und Zeit. *Elle prépare moins à l' « ontologie » qu'elle ne la préfigure déjà et n'en définit les traits du point de vue de la temporalité et pour la part qui revient à l'homme dans ce destin de l'Alèthéia.*

*
* *

Cette implication réciproque de l'Être et de l'homme dans le dévoilement et la place à la fois seconde et essentielle qui y est faite à l'eksistence

5. Au sens où l'étant « est ». Le français ne permet guère de traduction adéquate du verbe allemand *wesen*.
6. Une traduction, par Roger Munier, de la *Postface* à la conférence « Qu'est-ce que la métaphysique ? », d'où est tiré ce texte, a paru dans le numéro 24 de la revue *Arguments*.
7. Voir, à ce sujet, *Zur Seinsfrage* (Klostermann 1956), p. 27 : « Wir sagen vom « Sein selbst » immer *zuwenig,* wenn wir, « das Sein » sagend, das An-wesen *zum* Menschen*wesen* auslassen und dadurch verkennen, dass dieses Wesen selbst « das Sein » mitausmacht. Wir sagen auch vom Menschen immer *zuwenig,* wenn wir, das « Sein » (nicht das Menschsein) sagend, den Menschen für sich setzen und das so Gesetzte dann erst noch in eine Beziehung zum « Sein » bringen. » Cf. également : *Was heisst Denken* (Max Niemeyer, Tübingen 1954), p. 73, et *Einführung in die Metaphysik* (Max Niemeyer 1953), p. 133.

commande la conception, ne disons pas de l' « humanisme », mais de l'*humanitas* de l'*homo humanus* telle que Heidegger l'esquisse dans ces pages. Car si l'essence de l'homme repose dans l'*eksistence* comme accueil de la venue de l'Être, si l'homme ne se définit comme homme que dans ce rapport extatique à la vérité de l'Être comme tel, ce qui importe en une telle pensée n'est pas l'homme, mais l'Être ou ce qui par l'homme advient de l'Être. En ce sens, la « pensée de l'Être » est « contre l'humanisme ». Mais dans cette subordination même à la vérité de l'Être par lui dévoilée, l'homme n'acquière-t-il pas une dignité singulière, infiniment plus éminente que celle qu'a jamais pu lui conférer l' « humanisme » ? En son essence, celui-ci est « métaphysique ». Il pose l'homme comme sujet *au centre de l'étant considéré comme* objet *de son connaître et de son agir et sur lequel, en tant que* sujet, *il exerce tout pouvoir.* Dans cette position réside sa grandeur propre. L'homme est le « maître de l'étant ». Mais tandis qu'il s'assujettit de la sorte l'étant, dans la pensée par représentation, l'homme de la « métaphysique » consomme l'oubli de l'Être. Il demeure exilé de cette lumière essentielle qui est, sans qu'il le sache, immanente à sa représentation même et par quoi seule il a pouvoir de penser l'étant. La source de cette lumière dont l'étant est par lui éclairé, il l'ignore, le regard invinciblement tourné à l'opposé du soleil unique. C'est l'univers de l'immanence où l'homme-roi fait l'épreuve de sa soli-

tude. Sartre l'exprime en une phrase, reprise par Heidegger dans la Lettre : « *Précisément nous sommes sur un plan où il y a seulement des hommes* », *et que celui-ci rectifie de la sorte :* « *Précisément nous sommes sur un plan où il y a principalement l'Être.* » *Notons d'abord le : principalement. Il reconnaît certes à l'Être priorité dans le dévoilement, mais affirme à nouveau l'implication réciproque dont nous parlions. L'homme et l'Être sont ensemble engagés dans le destin de l'Alèthéia. Mais alors que Sartre dresse l'homme-roi au centre de l'étant dans la solitude de sa liberté vide, Heidegger affirme que l'homme n'est homme que pour autant qu'il consent à l'Être et correspond à l'Être dans le dialogue extatique. Jeté par l'Être dans l'eksistence, convié à la sauvegarde de sa vérité dans cette « maison » du langage qui est à la fois demeure de l'Être et abri de l'essence de l'homme (toujours cette même implication), il ne s'accomplit réellement que dans le « souci » de l'Être continûment assumé. Ce qui fonde sa grandeur n'est point la domination, en fin de compte précaire*[8], *qu'il exerce sur l'étant. C'est d'être, au sein de l'étant et dans un juste ac-*

---

8. Ne peut-on voir, dans la menace croissante que fait peser le progrès technique, expression ultime de la domination de l'homme sur l'étant, comme un renversement de l'attitude « objective » où c'est l'étant comme *objet* qui peu à peu empiète sur l'humain et menace de se retourner contre lui ? Heidegger interprète la crise actuelle comme un rappel de l'exigence de l'Etre, trop longtemps méconnue. « La pensée peut-elle s'abstenir encore de penser l'Être, quand celui-ci, après être

cord avec lui, le « berger de l'Être », d'accepter dans le retour à sa condition finie, cette « essentielle pauvreté du berger » qui est toute richesse, de redescendre le chemin d'une finitude qui porte en elle-même sa propre rédemption, puisqu'elle seule donne accès à la lumière de l'Être. Ici est en effet le point essentiel et dont il importe de souligner la portée positive. La description lucide de l'être fini qui fait le fond de Sein und Zeit implique en elle-même un dépassement de la finitude. C'est dans l'acceptation de sa condition finie, dans la redescente aux fondements mêmes de cette condition mortelle en laquelle il n'est « jeté » que pour y entendre l'appel de l'Être, que l'homme accomplit son essence, car c'est en elle seule qu'il eksiste. L'eksistence, il faut y insister, n'est point tant extase, tension tragique vers un dehors en quelque sorte extérieur à l'humain, que présence par l'intime et le dedans à Ce qui est pour l'homme plus proche que tout étant, le Présent lui-même. Seule cette pauvreté essentielle du berger, au rebours de toute volonté de puissance, ce retour vers la Proximité du plus Proche, vers le quotidien et le banal où demeurent les dieux, seul ce séjour essentiel accorde à l'homme la Présence unique, à jamais refusée à l'homme-sujet de la « métaphysique ».

Alors peut s'ouvrir pour l' « homo humanus »,

resté celé dans un long oubli, s'annonce au moment présent du monde par l'ébranlement de tout étant ? » (p. 141.)

*rendu à cette pauvreté extatique du « berger », la di-
mension de l'Indemne où la trace du Sacré est à nouveau visible. Alors devient possible, dans cette ouverture du Sacré, une approche du divin. Parvenue en
ce point, une question naturellement se pose à la
pensée : dans cet accomplissement de l'essence de
l'homme, une échappée est-elle ouverte vers le Dieu
des révélations positives et plus précisément vers
celui d'Abraham, d'Isaac et de Jacob ? La pensée
qui tente de replacer l'homme en présence de l'Être
lui-même est-elle, en son fond, religieuse ? Vouloir
en décider sur les seules bases que nous possédons
serait prématuré et surtout peu conforme à l'intention de Heidegger. A première vue, l'idéal humain
vers lequel semble s'orienter l'auteur de la* Lettre
*et des écrits postérieurs, fait davantage penser à
celui de la Grèce antique, de la Grèce sacrale
d'avant le rationalisme naissant, toute pleine encore
de la présence des dieux, telle que l'ont pressentie
Nietzsche et surtout Hölderlin. Mais ceci n'est
qu'une approximation et il faut marquer avec la
plus grande netteté que la recherche de Heidegger
n'est point d'abord d'une éthique, ni même d'une
« sagesse ». Elle ne vise qu'à assurer les bases d'une
construction future dont les développements, pour
salutaires qu'on les pressente, demeurent encore im-
prévisibles. Il ne s'agit, pour le moment, que de
mettre fin à l'aliénation fondamentale de l'homme,
la plus radicale qui soit, puisqu'elle le prive du seul
élément où son essence puisse librement se dé-*

ployer : la vérité de l'Être. Sauver l'Être de l'oubli et l'homme de l'aliénation que cet oubli entraîne, telle est la tâche préalable dans la confusion présente des « valeurs ». Tel est le sens ultime de l' « ontologie fondamentale ». Elle ne se prononce pas sur l'éthique et ne préjuge ni de la possibilité du divin ni de son non-être. Elle ne cherche qu'à replacer l'homme sur le chemin de son essence. Elle veut seulement lui rendre une « patrie ». Cela seul ne mérite-t-il pas déjà attention, dans la détresse actuelle du monde ?

Paris, janvier 1957.

Roger MUNIER

La *Lettre sur l'Humanisme* fut d'abord adressée, en décembre 1946, à Jean Beaufret, en réponse à une lettre en date du 10 novembre. Un important fragment, traduit par Joseph Rovan sous le titre : *Lettre à Jean Beaufret,* en fut publié dans le n° 63 de la revue Fontaine [1]. Cette première lettre présente, avec l'ouvrage actuel, des différences notables. Elle fut reprise dans la suite par Heidegger qui la compléta par place et la publia, en 1947, avec l'opuscule : *Platons Lehre von der Wahrheit,* sous le titre : *Ueber den « Humanismus » Brief an Jean Beaufret, Paris* [2]. En 1949, l'éditeur allemand Klostermann en donna une édition séparée sous le seul titre : *Ueber den Humanismus* [3]. C'est sur ce dernier texte, légèrement modifié par rapport à celui de l'édition Francke, qu'a été faite la présente traduction. Elle parut pour la première fois, en 1953, dans les *Cahiers du Sud* (n°s 319 et 320). Revue préalablement par Heidegger, elle avait reçu son approbation.

1. Précédé d'une étude de Jean Beaufret, intitulée « Martin Heidegger et le problème de la vérité ».
2. Chez l'éditeur A. Francke, à Berne. Collection « Ueberlieferung und Auftrag », série *Probleme und Hinweise.* Le titre complet du volume est le suivant : *Platons Lehre von der Wahrheit.* Mit einem Brief über den « Humanismus ». On notera que dans la première édition Francke de 1947 et dans la seconde de 1954, le mot : Humanismus est porté entre guillemets. Dans l'édition Klostermann, ces guilemets ont disparu.
3. Martin Heidegger — *Ueber den Humanismus.* Vittorio Klostermann, Frankfurt am Main, 47 pages. (Seconde édition, 1951.)

Au seuil de cet ouvrage, le traducteur tient à remercier les spécialistes qui l'ont aidé dans sa tâche parfois difficile : les RR. PP. G. Fessard et A. Jeannière S. J.; M. Gilbert Kahn, lecteur français à l'université de Fribourg-en-Brisgau qui a aidé Heidegger dans sa vérification du texte français; et surtout le destinataire de la *Lettre sur l'Humanisme*, M. Jean Beaufret, qui a bien voulu, en plus de renseignements précieux, lui communiquer le texte de la première lettre qu'il reçut de Heidegger en 1945 et l'autoriser à le publier.

AVERTISSEMENT
pour la seconde édition

Le texte français que nous publions aujourd'hui présente des différences sensibles avec celui de l'édition de 1957. On s'est appliqué, notamment, à y serrer d'un peu plus près qu'alors l'original allemand. Au surplus, les traductions de Heidegger s'étaient entre-temps multipliées et leurs recherches, leurs innovations parfois heureuses, nous ont ici et là inspiré.

Que tous ceux qui ont bien voulu nous aider de leurs conseils et nous suggérer des améliorations souvent utiles à une plus juste intelligence du texte, trouvent ici l'expression de notre gratitude.

R. M.

Novembre 1963.

LETTRE SUR L'HUMANISME
(ÜBER DEN HUMANISMUS)

Wir bedenken das Wesen des Handelns noch lange nicht entschieden genug. Man kennt das Handeln nur als das Bewirken einer Wirkung. Deren Wirklichkeit wird geschätzt nach ihrem Nutzen. Aber das Wesen des Handelns ist das Vollbringen. Vollbringen heisst : etwas in die Fülle seines Wesens entfalten, in diese hervorgeleiten, producere. Vollbringbar ist deshalb eigentlich nur das, was schon ist. Was jedoch vor allem « ist », ist das Sein. Das Denken vollbringt den Bezug des Seins zum Wesen des Menschen. Es macht und bewirkt diesen Bezug nicht. Das Denken bringt ihn nur als das, was ihm selbst vom Sein übergeben ist, dem Sein dar. Dieses Darbieten besteht darin, dass im Denken das Sein zur Sprache kommt. Die Sprache ist das Haus des Seins. In ihrer Behausung wohnt der Mensch. Die Denkenden und Dichtenden sind die Wächter dieser Behausung. Ihr Wachen ist das Vollbringen der Offenbarkeit des Seins, insofern sie diese durch ihr Sagen zur Sprache bringen und in der Sprache aufbewahren. Das Denken wird nicht erst dadurch zur Aktion,

Nous ne pensons pas encore de façon assez décisive l'essence de l'agir. On ne connaît l'agir que comme la production d'un effet dont la réalité est appréciée suivant l'utilité qu'il offre. Mais l'essence de l'agir est l'accomplir. Accomplir signifie : déployer une chose dans la plénitude de son essence, atteindre à cette plénitude, *producere*. Ne peut donc être accompli proprement que ce qui est déjà. Or, ce qui « est » avant tout, est l'Être. La pensée accomplit la relation de l'Être à l'essence de l'homme. Elle ne constitue ni ne produit elle-même cette relation. La pensée la présente seulement à l'être, comme ce qui lui est remis à elle-même par l'Être. Cette offrande consiste en ceci, que dans la pensée l'Être vient au langage[1]. Le langage est la maison de l'Être. Dans son abri, habite l'homme. Les penseurs et les poètes sont ceux qui veillent sur cet abri. Leur veille est l'accomplissement de la révélabilité de l'Être, en tant que par leur dire, ils portent au langage[1] cette révélabilité et la conservent dans le langage. La pensée n'est pas d'abord promue au rang

dass von ihm eine Wirkung ausgeht oder dass es angewendet wird. Das Denken handelt, indem es denkt. Dieses Handeln ist vermutlich das Einfachste und zugleich Höchste, weil es den Bezug des Seins zum Menschen angeht. Alles Wirken aber beruht im Sein und geht auf das Seiende aus. Das Denken dagegen lässt sich vom Sein in den Anspruch nehmen, um die Wahrheit des Seins zu sagen. Das Denken vollbringt dieses Lassen. Denken ist l'engagement par l'Etre pour l'Etre. Ich weiss nicht, ob es sprachlich möglich ist, dieses beides (« par » et « pour ») in einem zu sagen, nämlich durch : penser, c'est l'engagement de l'Etre. Hier soll die Form des Genitiv « de l'... » ausdrücken, dass der Genitiv zugleich ist gen. subiectivus und obiectivus. Dabei sind « Subjekt » und « Objekt » ungemässe Titel der Metaphysik, die sich in der Gestalt der abendländischen « Logik » und « Grammatik » frühzeitig der Interpretation der Sprache bemächtigt hat. Was sich in diesem Vorgang verbirgt, vermögen wir heute nur erst zu ahnen. Die Befreiung der Sprache aus der Grammatik in ein ursprünglicheres Wesensgefüge ist dem Denken und Dichten aufbehalten. Das Denken ist nicht nur l'engagement dans l'action für und durch das Seiende im Sinne des Wirklichen der gegenwärtigen Situation. Das Denken ist l'engagement durch und für die Wahrheit des Seins. Dessen Geschichte ist nie vergangen, sie steht immer bevor. Die Geschichte des Seins trägt und bestimmt

d'action du seul fait qu'un effet sort d'elle ou qu'elle est appliquée à... La pensée agit en tant qu'elle pense. Cet agir est probablement le plus simple en même temps que le plus haut, parce qu'il concerne la relation de l'Être à l'homme. Or toute efficience repose dans l'Être et de là va à l'étant. La pensée, par contre, se laisse revendiquer par l'Être[6] pour dire la vérité de l'Être. La pensée accomplit cet abandon. Penser est *l'engagement par l'Être pour l'Être.* Je ne sais si le langage peut unir ce double « *par* » et « *pour* » dans une seule formule comme : *penser c'est l'engagement de l'Être.* Ici, la forme du génitif « *de l'...* » doit exprimer que le génitif est à la fois subjectif et objectif. Mais « sujet » et « objet » sont en l'occurrence des termes impropres de la métaphysique — cette métaphysique qui, sous les espèces de la « logique » et de la « grammaire » occidentales, s'est de bonne heure emparée de l'interprétation du langage. Ce qui se cèle dans un tel événement, nous ne pouvons qu'à peine le pressentir aujourd'hui. La libération du langage des liens de la grammaire en vue d'une articulation plus originelle de ses éléments est réservée à la pensée et à la poésie. La pensée n'est pas seulement *l'engagement dans l'action* pour et par l'étant au sens du réel de la situation présente. La pensée est *l'engagement* par et pour la vérité de l'Être, cet Être dont l'histoire n'est jamais révolue, mais toujours en attente. L'histoire de l'Être supporte et détermine toute *condition*

jede condition et situation humaine. Damit wir erst lernen, das genannte Wesen des Denkens rein zu erfahren und das heisst zugleich zu vollziehen, müssen wir uns frei machen von der technischen Interpretation des Denkens. Deren Anfänge reichen bis zu Plato und Aristoteles zurück. Das Denken selbst gilt dort als eine τέχνη, das Verfahren des Ueberlegens im Dienste des Tuns und Machens. Das Ueberlegen aber wird hier schon aus dem Hinblick auf πρᾶξις und ποίησις gesehen. Deshalb ist das Denken, wenn es für sich genommen wird, nicht « praktisch ». Die Kennzeichnung des Denkens als θεωρία und die Bestimmung des Erkennens als des « theoretischen » Verhaltens geschieht schon innerhalb der « technischen » Auslegung des Denkens. Sie ist ein reaktiver Versuch, auch das Denken noch in eine Eigenständigkeit gegenüber dem Handeln und Tun zu retten. Seitdem ist die « Philosophie » in der ständigen Notlage, vor den « Wissenschaften » ihre Existenz zu rechtfertigen. Sie meint, dies geschehe am sichersten dadurch, dass sie sich selbst zum Range einer Wissenschaft erhebt. Dieses Bemühen aber ist die Preisgabe des Wesens des Denkens. Die Philosophie wird von der Furcht gejagt, an Ansehen und Geltung zu verlieren, wenn sie nicht Wissenschaft sei. Dies gilt als ein Mangel, der mit Unwissenschaftlichkeit gleichgesetzt wird. Das Sein als das Element des Denkens ist in der technischen Auslegung des Denkens preisgegeben. Die « Logik » ist die seit der So-

et situation humaine. Si nous voulons seulement
apprendre à expérimenter purement cette essence de
la pensée dont nous parlons, ce qui revient à l'accomplir, il faut nous libérer de l'interprétation technique
de la pensée dont les origines remontent jusqu'à Platon et Aristote. A cette époque, la pensée elle-même
a valeur de τέχνη, elle est processus de la réflexion
au service du faire et du produire. Mais alors, la réflexion est déjà envisagée du point de vue de la πρᾶξις
et de la ποίησις. C'est pourquoi la pensée, si on la
prend en elle-même, n'est pas « pratique ». Cette manière de caractériser la pensée comme θεωρία, et la
détermination du connaître comme attitude « théoré-
tique », se produit déjà à l'intérieur d'une interprétation « technique » de la pensée. Elle est une tentative
de réaction pour garder encore à la pensée une au-
tonomie en face de l'agir et du faire. Depuis, la
« philosophie » est dans la nécessité constante de jus-
tifier son existence devant les « sciences ». Elle pense
y arriver plus sûrement en s'élevant elle-même au
rang d'une science. Mais cet effort est l'abandon de
l'essence de la pensée. La philosophie est poursuivie
par la crainte de perdre en considération et en validité, si elle n'est science. On voit là comme un manque
qui est assimilé à une non-scientificité. L'Être en tant
que l'élément de la pensée est abandonné dans l'interprétation technique de la pensée. La « logique »
est la sanction de cette interprétation, en vigueur dès

phistik und Plato beginnende Sanktion dieser Auslegung. Man beurteilt das Denken nach einem
ihm unangemessenen Mass. Diese Beurteilung
gleicht dem Verfahren, das versucht, das Wesen
und Vermögen des Fisches danach abzuschätzen,
wieweit er imstande ist, auf dem Trockenen des
Landes zu leben. Schon lange, allzu lang sitzt das
Denken auf dem Trockenen. Kann man nun das
Bemühen, das Denken wieder in sein Element zu
bringen, « Irrationalismus » nennen ?

Diese Fragen Ihres Briefes liessen sich wohl im
unmittelbaren Gespräch eher klären. Im Schrift-
lichen büsst das Denken leicht seine Beweg-
lichkeit ein. Vor allem aber kann es da nur schwer
die ihm eigene Mehrdimensionalität seines Be-
reiches innehalten. Die Strenge des Denkens
besteht im Unterschied zu den Wissenschaften
nicht bloss in der künstlichen, das heisst technisch-
theoretischen Exaktheit der Begriffe. Sie beruht
darin, dass das Sagen rein im Element des Seins
bleibt und das Einfache seiner mannigfaltigen Di-
mensionen walten lässt. Aber das Schriftliche bietet andererseits den heilsamen Zwang zur bedacht-
samen sprachlichen Fassung. Für heute möchte
ich nur eine Ihrer Fragen herausgreifen. Deren
Erörterung wirft vielleicht auch auf die anderen
ein Licht.

Sie fragen : Comment redonner un sens au mot
« Humanisme » ? Diese Frage kommt aus der
Absicht, das Wort « Humanismus » festzuhalten.

l'époque des sophistes et de Platon. On juge la pensée selon une mesure qui lui est inappropriée. Cette façon de juger équivaut au procédé qui tenterait d'apprécier l'essence et les ressources du poisson sur la capacité qu'il a de vivre en terrain sec. Depuis longtemps, trop longtemps déjà, la pensée est échouée en terrain sec. Peut-on maintenant appeler « irrationalisme » l'effort qui consiste à remettre la pensée dans son élément ?

Les questions de votre lettre s'éclairciraient plus aisément dans un entretien direct. Dans un écrit, la pensée perd facilement sa mobilité. Mais surtout, elle ne peut que difficilement y faire tenir la pluralité de dimensions propre à son domaine. La rigueur de la pensée ne consiste pas seulement, à la différence des sciences, dans l'exactitude fabriquée, c'est-à-dire technique-théorétique, des concepts. Elle repose en ceci que le dire reste purement dans l'élément de l'Être et laisse régner ce qu'il y a de simple en ses dimensions variées. Mais, par ailleurs, la chose écrite offre la salutaire contrainte d'une saisie vigilante par le langage. Pour aujourd'hui, je voudrais seulement isoler une de vos questions. L'examen que j'en ferai jettera peut-être aussi quelque lumière sur les autres.

Vous demandez : *Comment redonner un sens au mot « Humanisme »* ? Cette question dénote l'intention de maintenir le mot lui-même. Je me demande

Ich frage mich, ob das nötig ist. Oder ist das
Unheil, das alle Titel dieser Art anrichten, noch
nicht offenkundig genug? Man misstraut zwar
schon lange den « -ismen ». Aber der Markt des
öffentlichen Meinens verlangt stets neue. Man ist
immer wieder bereit, diesen Bedarf zu decken.
Auch die Namen wie « Logik », « Ethik », « Physik » kommen erst auf, sobald das ursprüngliche
Denken zu Ende geht. Die Griechen haben in ihrer
grossen Zeit ohne solche Titel gedacht. Nicht
einmal « Philosophie » nannten sie das Denken.
Dieses geht zu Ende, wenn es aus seinem Element
weicht. Das Element ist das, aus dem her das
Denken vermag, ein Denken zu sein. Das Element
ist das eigentlich Vermögende : das Vermögen.
Es nimmt sich des Denkens an und bringt es so in
dessen Wesen. Das Denken, schlicht gesagt, ist
das Denken des Seins. Der Genitiv sagt ein Zwie-
faches. Das Denken ist des Seins, insofern das Denken, vom Sein ereignet, dem Sein gehört. Das
Denken ist zugleich Denken des Seins, insofern das
Denken, dem Sein gehörend, auf das Sein hört. Als
das hörend dem Sein gehörende ist das Denken,
was es nach seiner Wesensherkunft ist. Das Denken ist — dies sagt : das Sein hat sich je geschicklich seines Wesens angenommen. Sich einer « Sache » oder einer « Person » in ihrem Wesen anneh-
men, das heisst : sie lieben : sie mögen. Dieses
Mögen bedeutet, ursprünglicher gedacht : das
Wesen schenken. Solches Mögen ist das eigentliche

si c'est nécessaire. Le malheur qu'entraînent les étiquettes de ce genre n'est-il pas encore assez manifeste ? On se méfie certes depuis longtemps des « ... ismes ». Mais le marché de l'opinion publique en réclame sans cesse de nouveaux. Et l'on est toujours prêt à couvrir cette demande. Les termes tels que « logique », « éthique », « physique » n'apparaissent eux-mêmes qu'au moment où la pensée originelle est sur son déclin. Dans leur grande époque, les Grecs ont pensé sans de telles étiquettes. Ils n'appelaient pas même « philosophie » la pensée. Celle-ci est sur son déclin, quand elle s'écarte de son élément. L'élément est ce à partir de quoi la pensée peut être une pensée. L'élément est proprement ce-qui-a-pouvoir : le pouvoir. Il prend charge de la pensée et ainsi l'amène à son essence. En un mot, la pensée est la pensée de l'Être. Le génitif a un double sens. La pensée est de l'Être, en tant qu'advenue par l'Être, elle appartient à l'Être. La pensée est en même temps pensée de l'Être, en tant qu'appartenant à l'Être, elle est à l'écoute de l'Être[2]. La pensée est ce qu'elle est selon sa provenance essentielle, en tant qu'appartenant à l'Être, elle est à l'écoute de l'Être. La pensée est — cela signifie : l'Être a, selon sa destination[3], à chaque fois pris charge de son essence. Prendre charge d'une « chose » ou d'une « personne » dans leur essence, c'est les aimer : les désirer[4]. Ce désir signifie, si on le pense plus originellement : don de l'essence. Un tel désir est l'essence propre du pouvoir qui peut non seulement

Wesen des Vermögens, das nicht nur dieses oder jenes leisten, sondern etwas in seiner Her-kunft « wesen », das heisst sein lassen kann. Das Vermögen des Mögens ist es, « kraft » dessen etwas eigentlich zu sein vermag. Dieses Vermögen ist das eigentlich « Mögliche », jenes, dessen Wesen im Mögen beruht. Aus diesem Mögen vermag das Sein das Denken. Jenes ermöglicht dieses. Das Sein als das Vermögend-Mögende ist das « Mög-liche ». Das Sein als das Element ist die « stille Kraft » des mögenden Vermögens, das heisst des Möglichen. Unsere Wörter « möglich » und « Möglichkeit » werden freilich unter der Herrschaft der « Logik » und « Metaphysik » nur gedacht im Unterschied zu « Wirklichkeit », das heisst aus einer bestimmten — der metaphysischen — Interpretation des Seins als actus und potentia, welche Unterscheidung identifiziert wird mit der von existentia und essentia. Wenn ich von der « stillen Kraft des Möglichen » spreche, meine ich nicht das possibile einer nur vorgestellten possibilitas, nicht die potentia als essentia eines actus der existentia, sondern das Sein selbst, das mögend über das Denken und so über das Wesen des Menschen und das heisst über dessen Bezug zum Sein vermag. Etwas vermögen bedeutet hier : es in seinem Wesen wahren, in seinem Element einbehalten.

Wenn das Denken zu Ende geht, indem es aus seinem Element weicht, ersetzt es diesen Verlust dadurch, dass es sich als τέχνη, als Instrument der

réaliser ceci ou cela, mais encore faire « se déployer »
quelque chose dans sa pro-venance, c'est-à-dire faire
être[5]. Le pouvoir du désir est cela « grâce » à quoi
quelque chose a proprement pouvoir d'être. Ce pouvoir est proprement le « possible », cela dont l'essence
repose dans le désir. De par ce désir, l'Être peut la
pensée. Il la rend possible. L'Être en tant que désir-
qui-s'accomplit-en-pouvoir est le « possible ». Il est,
en tant qu'il est l'élément, la « force tranquille » du
pouvoir aimant, c'est-à-dire du possible. Sous l'emprise de la « logique » et de la « métaphysique », nos
mots « possible » et « possibilité » ne sont en fait
pensés qu'en opposition à « réalité », c'est-à-dire à
partir d'une interprétation déterminée — métaphysique — de l'Être conçu comme actus et potentia, opposition qu'on identifie avec celle d'existentia et d'essentia. Quand je parle de la « force tranquille du
possible », je n'entends pas le possibile d'une possibilitas seulement représentée, non plus que la potentia
comme essentia d'un actus de l'existentia, mais l'Être
lui-même qui, désirant, a pouvoir sur la pensée et par
là sur l'essence de l'homme, c'est-à-dire sur la relation
de l'homme à l'Être. Pouvoir une chose signifie ici :
la garder dans son essence, la maintenir dans son élément.

Lorsque la pensée, s'écartant de son élément, est sur
son déclin, elle compense cette perte en s'assurant une
valeur comme τέχνη, comme instrument de formation,

Ausbildung und darum als Schulbetrieb und später als Kulturbetrieb eine Geltung verschafft. Die Philosophie wird allgemach zu einer Technik des Erklärens aus obersten Ursachen. Man denkt nicht mehr, sondern man beschäftigt sich mit « Philosophie ». Im Wettbewerb solcher Beschäftigungen bieten sich diese dann öffentlich als ein ...ismus an und versuchen, sich zu überbieten. Die Herrschaft solcher Titel ist nicht zufällig. Sie beruht, und das vor allem in der Neuzeit, auf der eigentümlichen Diktatur der Oeffentlichkeit. Die sogenannte « private Existenz » ist jedoch nicht schon das wesenhafte, nämlich freie Menschsein. Sie versteift sich lediglich zu einer Verneinung des Oeffentlichen. Sie bleibt der von ihm abhängige Ableger und nährt sich vom blossen Rückzug aus dem Oeffentlichen. Sie bezeugt so wider den eigenen Willen die Verknechtung an die Oeffentlichkeit. Diese selbst ist aber die metaphysisch bedingte, weil aus der Herrschaft der Subjektivität stammende Einrichtung und Ermächtigung der Offenheit des Seienden in die unbedingte Vergegenständlichung von allem. Darum gerät die Sprache in den Dienst des Vermittelns der Verkehrswege, auf denen sich die Vergegenständlichung als die gleichförmige Zugänglichkeit von Allem für Alle unter Missachtung jeder Grenze ausbreitet. So kommt die Sprache unter die Diktatur der Oeffentlichkeit. Diese entscheidet im voraus, was verständlich ist und was als unverständlich verworfen werden muss.

pour devenir bientôt exercice scolaire et finir comme entreprise culturelle. Peu à peu, la philosophie devient une technique de l'explication par les causes ultimes. On ne pense plus, on s'occupe de « philosophie ». Dans le jeu de la concurrence, de telles occupations s'offrent alors au domaine public sous forme d'...ismes, et tendent à la surenchère. La suprématie de semblables étiquettes n'est pas le fait du hasard. Elle repose, et particulièrement dans les temps modernes, sur la dictature propre de la publicité. Ce qu'on appelle « existence privée » n'est toutefois pas encore l'essentiel, le libre être-homme. Elle n'est qu'un raidissement dans la négation de ce qui est public. Elle reste la marcotte qui en dépend et ne se nourrit que de son retrait devant lui. Elle atteste ainsi malgré elle son asservissement à la publicité. Or celle-ci est l'effort, conditionné métaphysiquement parce qu'il a ses racines dans la domination de la subjectivité, pour diriger l'ouverture de l'étant vers l'objectivation inconditionnée de tout et l'y installer. C'est pourquoi le langage tombe au service de la fonction médiatrice des moyens d'échange, grâce auxquels l'objectivation, en tant que ce qui rend uniformément accessible tout à tous, peut s'étendre au mépris de toute frontière. Le langage tombe ainsi sous la dictature de la publicité. Celle-ci décide d'avance de ce qui est compréhensible, et de ce qui, étant incompréhensible, doit être rejeté.

Was in « Sein und Zeit » (1927), §§ 27 und 35
über das « man » gesagt ist, soll keineswegs nur
einen beiläufigen Beitrag zur Soziologie liefern.
Gleichwenig meint das « man » nur das ethisch-
existentiell verstandene Gegenbild zum Selbstsein
der Person. Das Gesagte enthält vielmehr den aus
der Frage nach der Wahrheit des Seins gedachten
Hinweis auf die anfängliche Zugehörigkeit des
Wortes zum Sein. Dieses Verhältnis bleibt unter
der Herrschaft der Subjektivität, die sich als die
Oeffentlichkeit darstellt, verborgen. Wenn jedoch
die Wahrheit des Seins dem Denken denk-würdig
geworden ist, muss auch die Besinnung auf das
Wesen der Sprache einen anderen Rang erlangen.
Sie kann nicht mehr blosse Sprachphilosophie sein.
Nur darum enthält « Sein und Zeit » (§ 34) einen
Hinweis auf die Wesensdimension der Sprache
und rührt an die einfache Frage, in welcher Weise
des Seins denn die Sprache als Sprache jeweils ist.
Die überall und rasch fortwuchernde Verödung
der Sprache zehrt nicht nur an den ästhetischen
und moralischen Verantwortung in allem Sprach-
gebrauch. Sie kommt aus einer Gefährdung des
Wesens des Menschen. Ein bloss gepflegter Sprach-
gebrauch beweist noch nicht, dass wir dieser We-
sensgefahr schon entgangen sind. Er könnte heute
sogar eher dafür sprechen, dass wir die Gefahr
noch gar nicht sehen und nicht sehen können, weil
wir uns ihrem Blick noch nie gestellt haben. Der

Ce qui est dit dans *Sein und Zeit* (1927), § 27 et 35,
sur le « on », n'a nullement pour objet d'apporter seulement au passage une contribution à la sociologie.
Pas davantage le « on » ne désigne-t-il uniquement la
réplique, sur le plan moral-existentiel, à l'être-soi
de la personne. Ce qui est dit du « on » contient bien
plutôt, sur l'appartenance originelle du mot à l'Être,
une indication pensée à partir de la question portant
sur la vérité de l'Être. Sous l'emprise de la subjectivité
qui se présente comme publicité, ce rapport demeure
celé. Mais quand la vérité de l'Être, se rappelant à
la pensée, est devenue pour elle digne d'être pensée,
il faut aussi que la réflexion sur l'essence du langage
conquière un autre rang. Elle ne peut plus être une
simple philosophie du langage. C'est là l'unique raison pour laquelle *Sein und Zeit* (§ 34) contient une
indication sur la dimension essentielle du langage et
touche à cette question simple : en quel mode de
l'Être le langage existe-t-il réellement comme langage ? La dévastation du langage, qui s'étend partout
et avec rapidité, ne tient pas seulement à la responsa-
bilité d'ordre esthétique et moral qu'on assume en
chacun des usages qu'on fait de la parole. Elle provient
d'une mise en danger de l'essence de l'homme. Le soin
attentif qu'on peut montrer dans l'utilisation du langage ne prouve pas encore que nous ayons échappé
à ce danger essentiel. Il pourrait même être aujour-
d'hui le signe que nous ne voyons pas du tout ce
danger et ne pouvons le voir, parce que nous ne nous
sommes jamais encore exposés à son éclat. La déca-

neuerdings viel und reichlich spät beredete Sprach-
verfall ist jedoch nicht der Grund, sondern bereits
eine Folge des Vorgangs, dass die Sprache unter
der Herrschaft der neuzeitlichen Metaphysik der
Subjektivität fast unaufhaltsam aus ihrem Element
herausfällt. Die Sprache verweigert uns noch ihr
Wesen : dass sie das Haus der Wahrheit des Seins
ist. Die Sprache überlässt sich vielmehr unserem
blossen Wollen und Betreiben als ein Instrument
der Herrschaft über das Seiende. Dieses selbst
erscheint als das Wirkliche im Gewirk von Ursache
und Wirkung. Dem Seienden als dem Wirklichen
begegnen wir rechnend-handelnd, aber auch wissenschaftlich und philosophierend mit Erklärungen
und Begründungen. Zu diesen gehört auch die
Versicherung, etwas sei unerklärlich. Mit solchen
Aussagen meinen wir vor dem Geheimnis zu
stehen. Als ob es denn so ausgemacht sei, dass die
Wahrheit des Seins sich überhaupt auf Ursachen
und Erklärungsgründe oder, was das Selbe ist, auf
deren Unfasslichkeit stellen lasse.

Soll aber der Mensch noch einmal in die Nähe
des Seins finden, dann muss er zuvor lernen, im
Namenlosen zu existieren. Er muss in gleicher
Weise sowohl die Verführung durch die Oeffentlichkeit als auch die Ohnmacht des Privaten erkennen. Der Mensch muss, bevor er spricht, erst vom
Sein sich wieder ansprechen lassen auf die Gefahr,
dass er unter diesem Anspruch wenig oder selten
etwas zu sagen hat. Nur so wird dem Wort die

dence du langage dont on parle beaucoup depuis peu, et bien tardivement, n'est toutefois pas la raison, mais déjà une conséquence du processus selon lequel le langage, sous l'emprise de la métaphysique moderne de la subjectivité, sort presque irrésistiblement de son élément. Le langage nous refuse encore son essence, à savoir qu'il est la maison de la vérité de l'Être. Le langage se livre bien plutôt à notre pur vouloir et à notre activité comme un instrument de domination sur l'étant. Celui-ci apparaît lui-même comme le réel dans le tissu des causes et des effets. Nous abordons l'étant conçu comme le réel par le biais du calcul et de l'action, mais aussi par celui d'une science et d'une philosophie qui procèdent par explications et motivations. Sans doute maintient-on que ces dernières laissent une part d'inexplicable. Et l'on croit, avec de tels énoncés, être en présence du mystère. Comme s'il se pouvait que la vérité de l'Être se laisse jamais situer sur le plan des causes et des raisons explicatives ou, ce qui revient au même, sur celui de sa propre insaisissabilité.

Mais si l'homme doit un jour parvenir à la proximité de l'Être, il lui faut d'abord apprendre à exister dans ce qui n'a pas de nom. Il doit savoir reconnaître aussi bien la tentation de la publicité que l'impuissance de l'existence privée. Avant de proférer une parole, l'homme doit d'abord se laisser à nouveau revendiquer par l'Être et prévenir par lui du danger [6] de n'avoir, sous cette revendication, que peu ou rarement quelque chose à dire. C'est alors seulement

Kostbarkeit seines Wesens, dem Menschen aber die Behausung für das Wohnen in der Wahrheit des Seins wiedergeschenkt.

Liegt nun aber nicht in diesem Anspruch an den Menschen, liegt nicht in dem Versuch, den Menschen für diesen Anspruch bereit zu machen, eine Bemühung um den Menschen ? Wohin anders geht « die Sorge » als in die Richtung, den Menschen wieder in sein Wesen zurückzubringen ? Was bedeutet dies anderes, als dass der Mensch (homo) menschlich (humanus) werde ? So bleibt doch die Humanitas das Anliegen eines solchen Denkens; denn das ist Humanismus : Sinnen und Sorgen, dass der Mensch menschlich sei und nicht unmenschlich, « inhuman », das heisst, ausserhalb seines Wesens. Doch worin besteht die Menschlichkeit des Menschen ? Sie ruht in seinem Wesen.

Aber woher und wie bestimmt sich das Wesen des Menschen ? Marx fordert, dass der « menschliche Mensch » erkannt und anerkannt werde. Er findet diesen in der « Gesellschaft ». Der « gesellschaftliche » Mensch ist ihm der « natürliche » Mensch. In der « Gesellschaft » wird die « Natur » des Menschen, das heisst das Ganze der « natürlichen Bedürfnisse » (Nahrung, Kleidung, Fortpflanzung, wirtschaftliches Auskommen) gleichmässig gesichert. Der Christ sieht die Menschlichkeit des Menschen, die Humanitas des homo, aus der Abgrenzung gegen die Deitas. Er ist heilsgeschichtlich Mensch als « Kind Gottes », das den Anspruch

qu'est restituée à la parole la richesse inestimable de son essence et à l'homme l'abri pour habiter dans la vérité de l'Être.

Mais n'y a-t-il pas, dans cette revendication de l'Être sur l'homme, comme dans la tentative de préparer l'homme à cette revendication, un effort qui concerne l'homme ? Quelle est l'orientation du « souci », sinon de réinstaurer l'homme dans son essence ? Cela signifie-t-il autre chose que de rendre l'homme (homo) humain (humanus) ? Ainsi l'humanitas demeure-t-elle au cœur d'une telle pensée, car l'humanisme consiste en ceci : réfléchir et veiller à ce que l'homme soit humain et non in-humain, « barbare », c'est-à-dire hors de son essence. Or en quoi consiste l'humanité de l'homme ? Elle repose dans son essence.

Mais comment et à partir de quoi se détermine l'essence de l'homme ? Marx exige que l' « homme humain » soit connu et reconnu. Il trouve cet homme dans la « société ». L'homme « social » est pour lui l'homme « naturel ». Dans la « société », la « nature » de l'homme, c'est-à-dire l'ensemble de ses « besoins naturels » (nourriture, vêtement, reproduction, nécessités économiques), est régulièrement assurée. Le chrétien voit l'humanité de l'homme, l'humanitas de l'homo, dans sa délimitation par rapport à la deitas. Sur le plan de l'histoire du salut, l'homme est homme comme « enfant de Dieu », qui perçoit l'appel du

des Vaters in Christus vernimmt und übernimmt. Der Mensch ist nicht von dieser Welt, insofern die « Welt », theoretisch-platonisch gedacht, nur ein vorübergehender Durchgang zum Jenseits bleibt.

Ausdrücklich unter ihrem Namen wird die Humanitas zum ersten Mal bedacht und erstrebt in der Zeit der römischen Republik. Der homo humanus setzt sich dem homo barbarus entgegen. Der homo humanus ist hier der Römer, der die römische virtus erhöht und veredelt durch die « Einverleibung » der von den Griechen übernommenen παιδεία. Die Griechen sind die Griechen des Spätgriechentums, deren Bildung in den Philosophenschulen gelehrt wurde. Sie betrifft die eruditio et institutio in bonas artes. Die so verstandene παιδεία wird durch « humanitas » übersetzt. Die eigentliche romanitas des homo romanus besteht in solcher humanitas. In Rom begegnen wir dem ersten Humanismus. Er bleibt daher im Wesen eine spezifisch römische Erscheinung, die aus der Begegnung des Römertums mit der Bildung des späten Griechentums entspringt. Die sogenannte Renaissance des 14. und 15. Jahrhunderts in Italien ist eine renascentia romanitatis. Weil es auf die romanitas ankommt, geht es um die humanitas und deshalb um die griechische παιδεία. Das Griechentum wird aber stets in seiner späten Gestalt und diese selbst römisch gesehen. Auch der homo romanus der Renaissance steht in einem Gegensatz zum homo barbarus. Aber das In-humane ist jetzt die

Père dans le Christ et y répond. L'homme n'est pas de ce monde, en tant que le « monde », pensé sur le mode platonico-théorétique, n'est qu'un passage transitoire vers l'au-delà.

C'est au temps de la République romaine que pour la première fois l'humanitas est considérée et poursuivie expressément sous ce nom. L'homo humanus s'oppose à l'homo barbarus. L'homo humanus est alors le Romain qui élève et ennoblit la virtus romaine par l' « incorporation » de ce que les Grecs avaient entrepris sous le nom de παιδεία. Les Grecs sont ici ceux de l'hellénisme tardif dont la culture est enseignée dans les écoles philosophiques. Cette culture concerne l'eruditio et institutio in bonas artes. On traduit par « humanitas » la παιδεία ainsi comprise. C'est en une telle humanitas que consiste proprement la romanitas de l'homo romanus; et c'est à Rome que nous rencontrons le premier humanisme. Aussi celui-ci reste-t-il dans son essence une manifestation spécifiquement romaine, résultant d'une rencontre de la romanité avec la culture de l'hellénisme tardif. Ce qu'on appelle la Renaissance des XIVᵉ et XVᵉ siècles en Italie est une renascentia romanitatis. Puisqu'il s'agit de la romanitas, il y est question de l'humanitas et par suite de la παιδεία grecque. Mais l'hellénisme est toujours considéré sous sa forme tardive et plus précisément romaine. L'homo romanus de la Renaissance s'oppose lui aussi à l'homo barbarus. Mais ce qu'on

vermeintliche Barbarei der gotischen Scholastik des Mittelalters. Zum historisch verstandenen Humanismus gehört deshalb stets ein studium humanitatis, das in einer bestimmten Weise auf das Altertum zurückgreift und so jeweils auch zu einer Wiederbelebung des Griechentums wird. Das zeigt sich im Humanismus des 18. Jahrhunderts bei uns, der durch Winckelmann, Goethe und Schiller getragen ist. Hölderlin dagegen gehört nicht in den « Humanismus » und zwar deshalb, weil er das Geschick des Wesens des Menschen anfänglicher denkt, als dieser « Humanismus » es vermag.

Versteht man aber unter Humanismus allgemein die Bemühung darum, dass der Mensch frei werde für seine Menschlichkeit und darin seine Würde finde, dann ist je nach der Auffassung der « Freiheit » und der « Natur » des Menschen der Humanismus verschieden. Insgleichen unterscheiden sich die Wege zu seiner Verwirklichung. Der Humanismus von Marx bedarf keines Rückgangs zur Antike, ebensowenig der Humanismus, als welchen Sartre den Existenzialismus begreift. In dem genannten weiten Sinne ist auch das Christentum ein Humanismus, insofern nach seiner Lehre alles auf das Seelenheil (salus aeterna) des Menschen ankommt und die Geschichte der Menschheit im Rahmen der Heilsgeschichte erscheint. So verschieden diese Arten des Humanismus nach Ziel und Grund, nach der Art und den Mitteln der jeweiligen Verwirklichung, nach der Form seiner Lehre sein mögen,

entend alors par non humain est la prétendue barbarie de la scolastique gothique du Moyen Age. C'est pourquoi l'humanisme, dans ses manifestations historiques, comporte toujours un studium humanitatis qui renoue expressément avec l'Antiquité, et se donne à chaque fois de la sorte comme une reviviscence de l'hellénisme. C'est ce que révèle chez nous l'humanisme du XVIIIe siècle, tel que l'ont illustré Winckelmann, Gœthe et Schiller. Hölderlin, par contre, n'appartient pas à l' « humanisme », pour la bonne raison qu'il pense le destin de l'essence de l'homme plus originellement que cet « humanisme » ne peut le faire.

Mais si l'on comprend par humanisme en général l'effort visant à rendre l'homme libre pour son humanité et à lui faire découvrir sa dignité, l'humanisme se différencie suivant la conception qu'on a de la « liberté » et de la « nature » de l'homme. De la même manière se distinguent les moyens de le réaliser. L'humanisme de Marx ne nécessite aucun retour à l'Antique, pas plus que celui que Sartre conçoit sous le nom d'existentialisme. Au sens large indiqué précédemment, le christianisme est aussi un humanisme en tant que, dans sa doctrine, tout est ordonné au salut de l'âme (salus aeterna), et que l'histoire de l'humanité s'inscrit dans le cadre de l'histoire du salut. Aussi différentes que soient ces variétés de l'humanisme par le but et le fondement, le mode et les moyens de réalisation, ou par la forme de la doctrine, elles tombent

sie kommen doch darin überein, dass die humanitas des homo humanus aus dem Hinblick auf eine schon feststehende Auslegung der Natur, der Geschichte, der Welt, des Weltgrundes, das heisst des Seienden im Ganzen bestimmt wird.

Jeder Humanismus gründet entweder in einer Metaphysik oder er macht sich selbst zum Grund einer solchen. Jede Bestimmung des Wesens des Menschen, die schon die Auslegung des Seienden ohne die Frage nach der Wahrheit des Seins voraussetzt, sei es mit Wissen, sei es ohne Wissen, ist metaphysisch. Darum zeigt sich, und zwar im Hinblick auf die Art, wie das Wesen des Menschen bestimmt wird, das Eigentümliche aller Metaphysik darin, dass sie « humanistisch » ist. Demgemäss bleibt jeder Humanismus metaphysisch. Der Humanismus fragt bei der Bestimmung der Menschlichkeit des Menschen nicht nur nicht nach dem Bezug des Seins zum Menschenwesen. Der Humanismus verhindert sogar diese Frage, da er sie auf Grund seiner Herkunft aus der Metaphysik weder kennt noch versteht. Umgekehrt kann die Notwendigkeit und die eigene Art der in der Metaphysik und durch sie vergessenen Frage nach der Wahrheit des Seins nur so ans Licht kommen, dass inmitten der Herrschaft der Metaphysik die Frage gestellt wird « Was ist Metaphysik ? ». Zunächst sogar muss sich jedes Fragen nach dem « Sein », auch dasjenige nach der Wahrheit des Seins, als ein « metaphysisches » einführen.

pourtant d'accord sur ce point, que l'humanitas de
l'homo humanus est déterminée à partir d'une interprétation déjà fixe de la nature, de l'histoire, du monde,
du fondement du monde, c'est-à-dire de l'étant dans
sa totalité.

Tout humanisme se fonde sur une métaphysique ou
s'en fait lui-même le fondement. Toute détermination
de l'essence de l'homme qui présuppose déjà, qu'elle
le sache ou non, l'interprétation de l'étant sans poser
la question portant sur la vérité de l'Être, est métaphysique. C'est pourquoi, si l'on considère la manière
dont est déterminée l'essence de l'homme, le propre
de toute métaphysique se révèle en ce qu'elle est « hu-
maniste ». De la même façon, tout humanisme reste
métaphysique. Non seulement l'humanisme, dans sa
détermination de l'humanité de l'homme, ne pose pas
la question de la relation de l'Être à l'essence de
l'homme, mais il empêche même de la poser, en ne
la connaissant ni ne la comprenant pour cette raison
qu'il a son origine dans la métaphysique. Inversement,
la nécessité et la forme propre de cette question portant sur la vérité de l'Être, question qui est oubliée
dans la métaphysique et à cause d'elle, ne peut venir
au jour que si, au sein même de l'emprise de la métaphysique, on pose la question : « Qu'est-ce que la métaphysique ? ». Bien plus, il faut que dès le début
toute question portant sur l' « Être », et même celle
qui porte sur la vérité de l'Être, s'introduise comme
une question « métaphysique ».

Der erste Humanismus, nämlich der römische, und alle Arten des Humanismus, die seitdem bis in die Gegenwart aufgekommen sind, setzen das allgemeinste « Wesen » des Menschen als selbstverständlich voraus. Der Mensch gilt als das animal rationale. Diese Bestimmung ist nicht nur die lateinische Uebersetzung des griechischen ζῷον λόγον ἔχον, sondern eine metaphysische Auslegung. Diese Wesensbestimmung des Menschen ist nicht falsch. Aber sie ist durch die Metaphysik bedingt. Deren Wesensherkunft und nicht nur deren Grenze ist jedoch in « Sein und Zeit » frag-würdig geworden. Das Frag-würdige ist allerest dem Denken als sein Zu-Denkendes anheimgegeben, keineswegs aber in den Verzehr einer leeren Zweifelsucht verstossen.

Die Metaphysik stellt zwar das Seiende in seinem Sein vor und denkt so das Sein des Seienden. Aber sie denkt nicht den Unterschied beider (vgl. « Vom Wesen des Grundes » 1929. S. 8, ausserdem « Kant und das Problem der Metaphysik » 1929. S. 225, ferner « Sein und Zeit » S. 230). Die Metaphysik fragt nicht nach der Wahrheit des Seins selbst. Sie fragt daher auch nie, in welcher Weise das Wesen des Menschen zur Wahrheit des Seins gehört. Diese Frage hat die Metaphysik nicht nur bisher nicht gestellt. Diese Frage ist der Metaphysik als Metaphysik unzugänglich. Noch wartet das Sein, dass Es selbst dem Menschen denkwürdig werde. Wie

Le premier humanisme, j'entends celui de Rome, et les formes d'humanisme qui depuis se sont succédé jusqu'à l'heure présente, présupposent toutes l' « essence » la plus universelle de l'homme comme évidente. L'homme est considéré comme animal rationale. Cette détermination n'est pas seulement la traduction latine des mots grecs ζῷον λόγον ἔχον, elle est une interprétation métaphysique. Une telle détermination essentielle de l'homme n'est pas fausse, mais elle est conditionnée par la métaphysique. Toutefois, c'est sa provenance essentielle et non pas seulement ses limites que *Sein und Zeit* a jugé digne de mettre en question. Ce qui est digne d'être mis en question, loin d'être livré à l'action dissolvante d'un scepticisme vide, est avant tout confié à la pensée comme ce qu'elle a elle-même à-penser.

Il est vrai que la métaphysique représente l'étant dans son être et pense ainsi l'être de l'étant. Mais elle ne pense pas la différence de l'Être et de l'étant. (Cf. *Vom Wesen des Grundes,* 1929, p. 8; *Kant und das Problem der Metaphysik,* 1929, p. 225, et *Sein und Zeit,* p. 230.) La métaphysique ne pose pas la question portant sur la vérité de l'Être lui-même. C'est pourquoi elle ne se demande jamais non plus en quelle manière l'essence de l'homme appartient à la vérité de l'Être. Cette question, non seulement la métaphysique ne l'a pas encore posée jusqu'à présent : elle est inaccessible à la métaphysique comme métaphysique. L'Être attend toujours que l'homme se le remémore comme digne d'être pensé. Que l'on déter-

immer man im Hinblick auf die Wesensbestimmung des Menschen die ratio des animal und die Vernunft des Lebewesens bestimmen mag, ob als « Vermögen der Prinzipien », ob als « Vermögen der Kategorien » oder anders, überall und jedesmal gründet das Wesen der Vernunft darin, dass für jedes Vernehmen des Seienden in seinem Sein das Sein selbst schon gelichtet ist und in seiner Wahrheit sich ereignet. Insgleichen ist mit « animal », ζῷον, bereits eine Auslegung des « Lebens » gesetzt, die notwendig auf einer Auslegung des Seienden als ζωή und φύσις beruht, innerhalb deren das Lebendige erscheint. Ausserdem aber und vor allem anderen bleibt endlich zu fragen, ob überhaupt das Wesen des Menschen, anfänglich und alles voraus entscheidend, in der Dimension der animalitas liegt. Sind wir überhaupt auf dem rechten Wege zum Wesen des Menschen, wenn wir den Menschen und solange wir den Menschen als ein Lebewesen unter anderen gegen Pflanze, Tier und Gott abgrenzen ? Man kann so vorgehen, man kann in solcher Weise den Menschen innerhalb des Seienden als ein Seiendes unter anderen ansetzen. Man wird dabei stets Richtiges über den Menschen aussagen können. Aber man muss sich auch darüber klar sein, dass der Mensch dadurch endgültig in den Wesensbereich der animalitas verstossen bleibt, auch dann, wenn man ihn nicht dem Tier gleichsetzt, sondern ihm eine spezifische Differenz zuspricht. Man denkt im Prinzip stets den

mine, en regard de cette détermination essentielle de l'homme, la ratio de l'animal et la raison de l'être vivant comme « faculté des principes », comme « faculté des catégories », ou de toute autre manière, partout et toujours l'essence de la raison se fonde en ceci : pour toute compréhension de l'étant dans son être, l'Être lui-même est déjà éclairci et advient en sa vérité. De la même manière, le terme d' « animal », ζῷον implique déjà une interprétation de la « vie » qui repose nécessairement sur une interprétation de l'étant comme ζωή et φύσις, à l'intérieur desquels le vivant apparaît. Mais, en outre, et avant toute autre chose, reste à se demander si l'essence de l'homme, d'un point de vue originel et qui décide par avance de tout, repose dans la dimension de l'animalitas. D'une façon générale, sommes-nous sur la bonne voie pour découvrir l'essence de l'homme, lorsque nous définissons l'homme, et aussi longtemps que nous le définissons, comme un vivant parmi d'autres, en l'opposant aux plantes, à l'animal, à Dieu ? On peut bien procéder ainsi; on peut, de cette manière, situer l'homme à l'intérieur de l'étant comme un étant parmi d'autres. Ce faisant, on pourra toujours émettre à son propos des énoncés exacts. Mais on doit bien comprendre que, par là, l'homme se trouve repoussé définitivement dans le domaine essentiel de l'animalitas, même si, loin de l'identifier à l'animal, on lui accorde une différence spécifique. Au principe, on

homo animalis, selbst wenn anima als animus sive mens und diese später als Subjekt, als Person, als Geist gesetzt werden. Solches Setzen ist die Art der Metaphysik. Aber dadurch wird das Wesen des Menschen zu gering geachtet und nicht in seiner Herkunft gedacht, welche Wesensherkunft für das geschichtliche Menschentum stets die Wesenszukunft bleibt. Die Metaphysik denkt den Menschen von der animalitas her und denkt nicht zu seiner humanitas hin.

Die Metaphysik verschliesst sich dem einfachen Wesensbestand, dass der Mensch nur in seinem Wesen west, in dem er vom Sein angesprochen wird. Nur aus diesem Anspruch « hat » er das gefunden, worin sein Wesen wohnt. Nur aus diesem Wohnen « hat » er « Sprache » als die Behausung, die seinem Wesen das Ekstatische wahrt. Das Stehen in der Lichtung des Seins nenne ich die Eksistenz des Menschen. Nur dem Menschen eignet diese Art zu sein. Die so verstandene Ek-sistenz ist nicht nur der Grund der Möglichkeit der Vernunft, ratio, sondern die Ek-sistenz ist das, worin das Wesen des Menschen die Herkunft seiner Bestimmung wahrt.

Die Ek-sistenz lässt sich nur vom Wesen des Menschen, das heisst, nur von der menschlichen Weise zu « sein », sagen; denn der Mensch allein ist, soweit wir erfahren, in das Geschick der Eksistenz eingelassen. Deshalb kann die Ek-sistenz auch nie als eine spezifische Art unter anderen Ar-

pense toujours l'homo animalis, même si on pose l'anima comme animus sive mens, et celle-ci, plus tard, comme sujet, personne ou esprit. Une telle position est dans la manière de la métaphysique. Mais, par là, l'essence de l'homme est appréciée trop pauvrement; elle n'est point pensée dans sa provenance, provenance essentielle qui, pour l'humanité historique, reste en permanence l'avenir essentiel. La métaphysique pense l'homme à partir de l'animalitas, elle ne pense pas en direction de son humanitas.

La métaphysique se ferme à la simple notion essentielle que l'homme ne se déploie dans son essence qu'en tant qu'il est revendiqué par l'Être. C'est seulement à partir de cette revendication qu'il « a » trouvé cela même où son essence habite. C'est seulement à partir de cet habiter qu'il « a » « le langage » comme l'abri qui garde à son essence le caractère extatique. Se tenir dans l'éclaircie de l'Être, c'est ce que j'appelle l'ek-sistence de l'homme. Seul l'homme a en propre cette manière d'être. L'ek-sistence ainsi comprise est non seulement le fondement de la possibilité de la raison, ratio, elle est cela même en quoi l'essence de l'homme garde la provenance de sa détermination.

L'ek-sistence ne peut se dire que de l'essence de l'homme, c'est-à-dire de la manière humaine d' « être »; car l'homme seul est, pour autant que nous en ayons l'expérience, engagé dans le destin de l'ek-sistence. C'est aussi pourquoi l'ek-sistence ne peut jamais être pensée comme un mode spécifique parmi d'autres

ten von Lebewesen gedacht werden, gesetzt dass es dem Menschen geschickt ist, das Wesen seines Seins zu denken und nicht nur Natur- und Geschichtshistorien über seine Beschaffenheit und seinen Umtrieb zu berichten. So gründet auch das, was wir aus dem Vergleich mit dem « Tier » dem Menschen als animalitas zusprechen, selbst im Wesen der Eksistenz. Der Leib des Menschen ist etwas wesentlich anderes als ein tierischer Organismus. Die Verirrung des Biologismus ist dadurch noch nicht überwunden, dass man dem Leiblichen des Menschen die Seele und der Seele den Geist und dem Geist das Existentielle aufstockt und lauter als bisher die Hochschätzung des Geistes predigt, um dann doch alles in das Erleben des Lebens zurückfallen zu lassen, mit der warnenden Versicherung, das Denken zerstöre durch seine starren Begriffe den Lebensstrom und das Denken des Seins verunstalte die Existenz. Dass die Physiologie und die physiologische Chemie den Menschen als Organismus naturwissenschaftlich untersuchen kann, ist kein Beweis dafür, dass in diesem « Organischen », das heisst in dem wissenschaftlich erklärten Leib, das Wesen des Menschen beruht. Dies gilt so wenig wie die Meinung, in der Atomenergie sei das Wesen der Natur beschlossen. Es könnte doch sein, dass die Natur in der Seite, die sie der technischen Bemächtigung durch den Menschen zukehrt, ihr Wesen gerade verbirgt. So wenig das Wesen des Menschen darin besteht, ein animalischer Organismus zu sein,

modes propres aux vivants, à supposer qu'il soit destiné à l'homme de penser l'essence de son être, et non pas seulement de dresser des rapports sur sa constitution et son activité, du point de vue des sciences naturelles ou de l'histoire. Ainsi ce que nous avons attribué à l'homme, partant d'une comparaison avec l' « animal », comme animalitas, se fonde elle-même dans l'essence de l'ek-sistence. Le corps de l'homme est quelque chose d'essentiellement autre qu'un organisme animal. L'erreur du biologisme n'est pas surmontée du fait qu'on adjoint l'âme à la réalité corporelle de l'homme, à cette âme l'esprit, et à l'esprit le caractère existentiel et qu'on proclame plus fort que jamais la haute valeur de l'esprit... pour tout faire retomber finalement dans l'expérience vitale, en dénonçant avec assurance le fait que la pensée détruit, par ses concepts rigides, le courant de la vie et que la pensée de l'Être défigure l'existence. Que la physiologie et la chimie physiologique puissent étudier l'homme comme organisme, du point de vue des sciences naturelles, ne prouve aucunement que dans ce « caractère organique », c'est-à-dire dans le corps expliqué scientifiquement, repose l'essence de l'homme. Autant vaudrait prétendre enfermer dans l'énergie atomique l'essence de la nature. Il se pourrait bien plutôt que la nature celât précisément son essence dans le côté qu'elle offre à la domination technique par l'homme. Pas plus que l'essence de l'homme ne consiste à être un organisme animal, cette insuffisante

so wenig lässt sich diese unzureichende Wesensbestimmung des Menschen dadurch beseitigen und
ausgleichen, dass der Mensch mit einer unster-
blichen Seele oder mit dem Vernunftvermögen
oder mit dem Personcharakter ausgestattet wird.
Jedesmal ist das Wesen und zwar auf dem Grunde
des selben metaphysischen Entwurfs übergangen.

Das, was der Mensch ist, das heisst in der überlieferten Sprache der Metaphysik das « Wesen » des
Menschen, beruht in seiner Ek-sistenz. Aber die so
gedachte Ek-sistenz ist nicht identisch mit dem
überlieferten Begriff der existentia, was Wirklichkeit bedeutet im Unterschied zu essentia als der
Möglichkeit. In « Sein und Zeit » (S. 42) steht
gesperrt der Satz : « Das ‚Wesen' des Daseins liegt
in seiner Existenz ». Hier handelt es sich aber nicht
um eine Entgegensetzung von existentia und
essentia, weil diese beiden metaphysischen Bestimmungen des Seins überhaupt noch nicht, geschweige denn ihr Verhältnis, in Frage stehen. Der
Satz enthält noch weniger eine allgemeine Aussage
über das Dasein, insofern diese im 18. Jahrhundert
für das Wort « Gegenstand » aufgekommene
Benennung den metaphysischen Begriff der Wirklichkeit des Wirklichen ausdrücken soll. Vielmehr
sagt der Satz : der Mensch west so, dass er das
« Da », das heisst die Lichtung des Seins, ist.
Dieses « Sein » des Da, und nur dieses, hat den
Grundzug der Ek-sistenz, das heisst des ekstatischen
Innestehens in der Wahrheit des Seins. Das eksta-

détermination essentielle de l'homme ne se laisse éliminer ni réduire, du fait qu'on a doté l'homme d'une âme immortelle, d'une faculté rationnelle, ou du caractère qui en fait une personne. A chaque fois, on est passé à côté de l'essence, et cela en raison du même projet métaphysique.

Ce que l'homme est, c'est-à-dire dans la langue traditionnelle de la métaphysique, l' « essence » de l'homme, repose dans son ek-sistence. Mais l'ek-sistence ainsi pensée n'est pas identique au concept traditionnel d'existentia, qui désigne la réalité, en opposition à l'essentia conçue comme possibilité. On trouve dans *Sein und Zeit,* p. 42, cette phrase imprimée en italique : « L' « essence » de l'être-là réside dans son existence ». Mais il ne s'agit pas là d'une opposition entre existentia et essentia, car ces deux déterminations métaphysiques de l'Être en général, et à bien plus forte raison leur rapport, ne sont pas encore en question. La phrase contient moins encore un énoncé général sur l'être-là, si cette appellation surgie au XVIIIe siècle pour le mot « objet » doit exprimer le concept métaphysique de la réalité du réel. Bien plutôt veut-elle dire que l'homme déploie son essence de telle sorte qu'il est le « là » [7], c'est-à-dire l'éclaircie de l'Être. Cet « être » du là, et lui seul, comporte le trait fondamental de l'ek-sistence, c'est-à-dire de l'in-stance extatique dans la vérité de l'Être. L'essence extatique de l'homme repose dans

61

tische Wesen des Menschen beruht in der Ek-
sistenz, die von der metaphysisch gedachten existentia verschieden bleibt. Diese begreift die mittel-
alterliche Philosophie als actualitas. Kant stellt die
existentia als die Wirklichkeit vor im Sinne der
Objektivität der Erfahrung. Hegel bestimmt die
existentia als die sich selbst wissende Idee der absoluten Subjektivität. Nietzsche erfasst die existentia
als die ewige Wiederkehr des Gleichen. Ob freilich
durch die existentia in ihren nur dem nächsten
Anschein nach verschiedenen Auslegungen als
Wirklichkeit schon das Sein des Steines oder gar
das Leben als das Sein der Gewächse und des
Getiers zureichend gedacht ist, bleibe hier als Frage
offen. In jedem Falle sind die Lebewesen, wie sie
sind, ohne dass sie aus ihrem Sein als solchem her
in der Wahrheit des Seins stehen und in solchem
Stehen das Wesende ihres Seins verwahren. Vermutlich ist für uns von allem Seienden, das ist, das
Lebe-Wesen am schwersten zu denken, weil es uns
einerseits in gewisser Weise am nächsten verwandt
und andererseits doch zugleich durch einen Ab-
grund von unserem ek-sistenten Wesen geschieden
ist. Dagegen möchte es scheinen, als sei das Wesen
des Göttlichen uns näher als das Befremdende
der Lebe-Wesen, näher nämlich in einer Vesens-
ferne, die als Ferne unserem eksistenten Wesen
gleichwohl vertrauter ist als die kaum aus-
zudenkende abgründige leibliche Verwandtschaft

l'ek-sistence, qui reste distincte de l'existentia pensée d'un point de vue métaphysique. Cette existentia, la philosophie du Moyen Age la conçoit comme actualitas. Kant la représente comme la réalité au sens de l'objectivité de l'expérience. Hegel la détermine comme l'idée de la subjectivité absolue qui se sait elle-même. Nietzsche la conçoit comme l'éternel retour de l'identique. Quant à savoir si cette existentia, dans ses interprétations comme réalité — interprétations qui ne diffèrent qu'à première vue —, suffit à penser ne fût-ce que l'être de la pierre, ou même la vie, comme être des plantes ou des animaux, nous laisserons la question en suspens. Il reste que les êtres vivants sont ce qu'ils sont sans pour autant, à partir de leur être comme tel, se tenir dans la vérité de l'Être, ni garder dans cet état [8] ce qui fait que leur être déploie son essence. De tout étant qui est, l'être vivant est probablement pour nous le plus difficile à penser, car s'il est, d'une certaine manière, notre plus proche parent, il est en même temps séparé par un abîme de notre essence ek-sistante. En revanche, il pourrait sembler que l'essence du divin nous fût plus proche que cette réalité impénétrable des êtres vivants; j'entends : plus proche selon une distance essentielle, qui est toutefois, en tant que distance, plus familière à notre essence ek-sistante que la parenté corporelle avec l'animal, de nature insondable, à peine imaginable. De telles réflexions pro-

mit dem Tier. Solche Ueberlegungen werfen auf die geläufige und daher immer noch voreilige Kennzeichnung des Menschen als animal rationale ein seltsames Licht. Weil Gewächs und Getier zwar je in ihre Umgebung verspannt, aber niemals in die Lichtung des Seins, und nur sie ist « Welt », frei gestellt sind, deshalb fehlt ihnen die Sprache. Nicht aber hängen sie darum, weil ihnen die Sprache versagt bleibt, weltlos in ihrer Umgebung. Doch in diesem Wort « Umgebung » drängt sich alles Rätselhafte des Lebe-Wesens zusammen. Die Sprache ist in ihrem Wesen nicht Aeusserung eines Organismus, auch nicht Ausdruck eines Lebewesens. Sie lässt sich daher auch nie vom Zeichencharakter her, vielleicht nicht einmal aus dem Bedeutungscharakter wesensgerecht denken. Sprache ist lichtend-verbergende Ankunft des Seins selbst.

Die Ek-sistenz, ekstatisch gedacht, deckt sich weder inhaltlich noch der Form nach mit der existentia. Ek-sistenz bedeutet inhaltlich Hinaus-stehen in die Wahrheit des Seins. Existentia (existence) meint dagegen actualitas, Wirklichkeit im Unterschied zur blossen Möglichkeit als Idee. Ek-sistenz nennt die Bestimmung dessen, was der Mensch im Geschick der Wahrheit ist. Existentia bleibt der Name für die Verwirklichung dessen, was etwas, in seiner Idee erscheinend, ist. Der Satz : « Der Mensch ek-sistiert » antwortet nicht auf die Frage,

jettent une étrange lumière sur la manière courante, et par là même toujours hâtive, de caractériser l'homme comme animal rationale. Si plantes et animaux sont privés du langage, c'est parce qu'ils sont emprisonnés chacun dans leur univers environnant, sans être jamais librement situés dans l'éclaircie de l'Être. Or seule cette éclaircie est « le monde ». Mais s'ils sont suspendus sans monde dans leur univers environnant, ce n'est pas parce que le langage leur est refusé. Dans ce mot d' « univers environnant » se concentre bien plutôt toute l'énigme du vivant. Le langage, en son essence, n'est pas le moyen pour un organisme de s'extérioriser, ni non plus l'expression d'un être vivant. On ne saurait jamais non plus, pour cette raison, le penser d'une manière conforme à son essence, partant de sa valeur de signe, pas même peut-être de sa valeur de signification. Le langage est la venue à la fois éclaircissante et celante de l'Être lui-même.

L'ek-sistence, pensée de façon extatique, ne coïncide, ni dans son contenu, ni dans sa forme avec l'existentia. Dans son contenu, ek-sistence signifie ek-stase en vue de la vérité de l'Être. Existentia (existence) veut dire par contre actualitas, réalité, par opposition à la pure possibilité conçue comme idée. Ek-sistence désigne la détermination de ce qu'est l'homme dans le destin de la vérité. Existentia reste le nom qu'on donne à la réalisation de ce qu'une chose est, lorsqu'elle apparaît dans son idée. La proposition : « l'homme ek-siste » n'est pas une réponse à la ques-

ob der Mensch wirklich sei oder nicht, sondern antwortet auf die Frage nach dem « Wesen » des Menschen. Diese Frage pflegen wir gleich ungemäss zu stellen, ob wir fragen, was der Mensch sei, oder ob wir fragen, wer der Mensch sei. Denn im Wer ? oder Was ? halten wir schon nach einem Personhaften oder nach einem Gegenstand Ausschau. Allein das Personhafte verfehlt und verbaut zugleich das Wesende der seinsgeschichtlichen Eksistenz nicht weniger als das Gegenständliche. Mit Bedacht schreibt daher der angeführte Satz in « Sein und Zeit » (S. 52) das Wort « Wesen » in Anführungszeichen. Das deutet an, dass sich jetzt das « Wesen » weder aus dem esse essentiae, noch aus dem esse existentiae, sondern aus dem Ekstatischen des Daseins bestimmt. Als der Eksistierende steht der Mensch das Da-sein aus, indem er das Da als die Lichtung des Seins in « die Sorge » nimmt. Das Da-sein selbst aber west als das « geworfene ». Es west im Wurf des Seins als des schickend Geschicklichen.

Die letzte Verirrung wäre es jedoch, wollte man den Satz über das eksistente Wesen des Menschen so erklären, als sei er die säkularisierte Uebertragung eines von der christlichen Theologie über Gott ausgesagten Gedankens (Deus est suum esse) auf den Menschen; denn die Ek-sistenz ist weder die Verwirklichung einer Essenz, noch bewirkt und setzt die Ek-sistenz gar selbst das Essentielle. Versteht man den in « Sein und Zeit » genannten

66

tion de savoir si l'homme est réel ou non; elle est une réponse à la question portant sur l' « essence » de l'homme. Cette question est aussi mal posée, que nous demandions ce qu'est l'homme, ou que nous demandions qui est l'homme ? Car avec ce qui ? ou ce quoi ? nous prenons déjà sur lui le point de vue de la personne ou de l'objet. Or la catégorie de la personne tout autant que celle de l'objet laisse échapper et masque à la fois ce qui fait que l'ek-sistence historico-ontologique déploie son essence. Aussi est-ce à dessein que la phrase de *Sein und Zeit* (p. 42) citée plus haut porte ce mot « essence » entre guillemets. On indique par là que l' « essence » ne se détermine plus désormais, ni à partir de l'esse essentiae, ni à partir de l'esse existentiae, mais à partir du caractère ek-statique de l'être-là. En tant qu'ek-sistant l'homme assume l'être-le-là[9], lorsque en vue du « souci » il reçoit le là comme l'éclaircie de l'Être. Mais cet être-le-là déploie lui-même son essence comme ce qui est « jeté ». Il déploie son essence dans la projection de l'Être, cet Être dont le destin est de destiner.

Mais la pire méprise serait de vouloir expliquer cette proposition sur l'essence ek-sistante de l'homme comme si elle était la transposition sécularisée et appliquée à l'homme d'une pensée de la théologie chrétienne sur Dieu (Deus est suum esse); car l'ek-sistence n'est pas plus la réalisation d'une essence, qu'elle ne produit et ne pose elle-même la catégorie de l'essence. Comprendre le « projet » dont il est question dans *Sein und Zeit*, comme l'acte de poser

« Entwurf » als ein vorstellendes Setzen, dann nimmt man ihn als Leistung der Subjektivität und denkt ihn nicht so, wie « das Seinsverständnis » im Bereich der « existentialen Analytik » des « In-der-Welt-Seins » allein gedacht werden kann, nämlich als der ekstatische Bezug zur Lichtung des Seins. Der zureichende Nach-und Mit-vollzug dieses anderen, die Subjektivität verlassenden Denkens ist allerdings dadurch erschwert, dass bei der Veröffentlichung von « Sein und Zeit » der dritte Abschnitt des ersten Teiles, « Zeit und Sein » zurückgehalten wurde (vgl. « Sein und Zeit » S. 39). Hier kehrt sich das Ganze um. Der fragliche Abschnitt wurde zurückgehalten, weil das Denken im zureichenden Sagen dieser Kehre versagte und mit Hilfe der Sprache der Metaphysik nicht durchkam. Der Vortrag « Vom Wesen der Wahrheit », der 1930 gedacht und mitgeteilt, aber erst 1943 gedruckt wurde, gibt einen gewissen Einblick in das Denken der Kehre von « Sein und Zeit » zu « Zeit und Sein ». Diese Kehre ist nicht eine Aenderung des Standpunktes von « Sein und Zeit », sondern in ihr gelangt das versuchte Denken erst in die Ortschaft der Dimension, aus der « Sein und Zeit » erfahren ist und zwar erfahren aus der Grunderfahrung der Seinsvergessenheit.

Sartre spricht dagegen den Grundsatz des Existentialismus so aus : die Existenz geht der Essenz voran. Er nimmt dabei existentia und essentia im Sinne der Metaphysik, die seit Plato sagt : die

dans une représentation, c'est le considérer comme une réalisation de la subjectivité et ne point le penser comme seule peut être pensée « l'intelligence de l'Être » dans la sphère de l' « analytique existentiale » de l' « être-au-monde », c'est-à-dire comme la relation extatique à l'éclaircie de l'Être. Un achèvement et un accomplissement suffisants de cette pensée autre qui abandonne la subjectivité sont assurément rendus difficiles du fait que lors de la parution de *Sein und Zeit,* la troisième section de la première partie : *Zeit und Sein* ne fut pas publiée (voir *Sein und Zeit,* p. 39). C'est en ce point que tout se renverse. Cette section ne fut pas publiée, parce que la pensée ne parvint pas à exprimer de manière suffisante ce renversement et n'en vint pas à bout avec l'aide de la langue de la métaphysique. La conférence intitulée : *Vom Wesen der Wahrheit,* qui fut conçue et prononcée en 1930, mais imprimée seulement en 1943, fait quelque peu entrevoir la pensée du renversement de *Sein und Zeit* en *Zeit und Sein.* Ce renversement n'est pas une modification du point de vue de *Sein und Zeit,* mais en lui seulement la pensée qui se cherchait atteint à la région dimensionnelle à partir de laquelle *Sein und Zeit* est expérimenté et expérimenté à partir de l'expérience fondamentale de l'oubli de l'Être.

Sartre, par contre, formule ainsi le principe de l'existentialisme : l'existence précède l'essence. Il prend ici existentia et essentia au sens de la métaphysique qui dit depuis Platon que l'essentia précède l'existentia.

essentia geht der existentia voraus. Sartre kehrt diesen Satz um. Aber die Umkehrung eines metaphysischen Satzes bleibt ein metaphysischer Satz. Als dieser Satz verharrt er mit der Metaphysik in der Vergessenheit der Wahrheit des Seins. Denn mag auch die Philosophie das Verhältnis von essentia und existentia im Sinne der Kontroversen des Mittelalters oder im Sinne von Leibniz oder anders bestimmen, vor all dem bleibt doch erst zu fragen, aus welchem Seinsgeschick diese Unterscheidung im Sein als esse essentiae und esse existentiae vor das Denken gelangt. Zu bedenken bleibt, weshalb die Frage nach diesem Seinsgeschick niemals gefragt wurde und weshalb sie nie gedacht werden konnte. Oder ist dies, dass es so mit der Unterscheidung von essentia und existentia steht, kein Zeichen der Vergessenheit des Seins? Wir dürfen vermuten, dass dieses Geschick nicht auf einem blossen Versäumnis des menschlichen Denkens beruht, geschweige denn auf einer geringeren Fähigkeit des frühen abendländischen Denkens. Die in ihrer Wesensherkunft verborgene Unterscheidung von essentia (Wesenheit) und existentia (Wirklichkeit) durchherrscht das Geschick der abendländischen und der gesamten europäisch bestimmten Geschichte.

Der Hauptsatz von Sartre über den Vorrang der existentia vor der essentia rechtfertigt indessen den Namen « Existentialismus » als einen dieser Philosophie gemässen Titel. Aber der Hauptsatz des

Sartre renverse cette proposition. Mais le renversement d'une proposition métaphysique reste une proposition métaphysique. En tant que telle, cette proposition persiste avec la métaphysique dans l'oubli de la vérité de l'Être. Que la philosophie détermine en effet le rapport d'*essentia* et d'*existentia* au sens des controverses du Moyen Age, au sens de Leibniz, ou de toute autre manière, il reste d'abord et avant tout à se demander à partir de quel destin de l'Être cette distinction dans l'Être entre *esse essentiae* et *esse existentiae* se produit devant la pensée. Il reste à penser pourquoi la question portant sur ce destin de l'Être n'a jamais été posée et pourquoi elle ne pouvait être pensée. Mais n'y aurait-il pas, dans le sort fait à cette distinction entre *essentia* et *existentia* un signe de l'oubli de l'Être ? Nous avons le droit de présumer que ce destin ne repose pas sur une simple négligence de la pensée humaine, encore moins sur une moindre capacité de la pensée occidentale à ses débuts. La distinction, celée dans sa provenance essentielle, entre *essentia* (essentialité) et *existentia* (réalité) domine le destin de l'histoire occidentale et de toute l'histoire telle que l'Europe l'a déterminée.

Le principe premier de Sartre selon lequel l'*existentia* précède l'*essentia* justifie en fait l'appellation d' « existentialisme » que l'on donne à cette philosophie. Mais le principe premier de l' « existentialisme »

« Existentialismus » hat mit jenem Satz in « Sein und Zeit » nicht das geringste gemeinsam; abgesehen davon, dass in « Sein und Zeit » ein Satz über das Verhältnis von essentia und existentia noch gar nicht ausgesprochen werden kann, denn es gilt dort, ein Vor-läufiges vorzubereiten. Dies geschieht nach dem Gesagten unbeholfen genug. Das auch heute erst noch zu Sagende könnte vielleicht ein Anstoss werden, das Wesen des Menschen dahin zu geleiten, dass es denkend auf die es durchwaltende Dimension der Wahrheit des Seins achtet. Doch auch dies könnte jeweils nur dem Sein zur Würde und dem Da-sein zugunsten geschehen, das der Mensch eksistierend aussteht, nicht aber des Menschen wegen, damit sich durch sein Schaffen Zivilisation und Kultur geltend machen.

Damit wir Heutigen jedoch in die Dimension der Wahrheit des Seins gelangen, um sie bedenken zu können, sind wir daran gehalten, erst einmal deutlich zu machen, wie das Sein den Menschen angeht und wie es ihn in den Anspruch nimmt. Solche Wesenserfahrung geschieht uns, wenn uns aufgeht, dass der Mensch ist, indem er eksistiert. Sagen wir dies zunächst in der Sprache der Ueberlieferung, dann heisst das : die Ek-sistenz des Menschen ist seine Substanz. Deshalb kehrt in « Sein und Zeit » öfters der Staz wieder : « Die ‚Substanz' des Menschen ist die Existenz » (S. 117, 212, 314). Allein « Substanz » ist, seinsgeschicht-

n'a pas le moindre point commun avec la phrase de *Sein und Zeit,* sans parler du fait que dans *Sein und Zeit,* une proposition sur le rapport essentia-existentia ne peut absolument pas encore être formulée, puisqu'il ne s'agit dans ce livre que de préparer un terrain pré-alable. On n'y parvient, d'après ce qui a été dit, que de façon assez imparfaite. Ce qui reste encore à dire aujourd'hui et pour la première fois, pourrait peut-être donner l'impulsion qui acheminerait l'essence de l'homme à ce que, pensant, elle soit attentive à la dimension sur elle omnirégnante de la vérité de l'Être. Un tel événement ne pourrait d'ailleurs à chaque fois se produire que pour la dignité de l'Être et au profit de cet être-le-là que l'homme assume dans l'eksistence, mais non à l'avantage de l'homme pour que brillent par son activité civilisation et culture.

Si toutefois nous voulons, nous les hommes d'aujourd'hui, atteindre à cette dimension de la vérité de l'Être, pour être à même de la penser, nous sommes d'abord tenus de montrer clairement comment l'Être aborde l'homme et comment il le revendique. Une telle expérience essentielle nous est donnée, lorsque nous commençons à comprendre que l'homme est, en tant qu'il eksiste. Nous exprimant d'abord dans la langue traditionnelle, nous dirons : l'ek-sistence de l'homme est sa substance. C'est pourquoi la proposition suivante revient à plusieurs reprises dans *Sein und Zeit* : « La « substance » de l'homme est l'existence » (pp. 117, 212, 314). Seulement le mot « substance », pensé sur le plan de l'histoire de l'Être, est

lich gedacht, bereits die verdeckende Uebersetzung von οὐσία, welches Wort die Anwesenheit des Anwesenden nennt und meistens zugleich aus einer rätselhaften Zweideutigkeit das Anwesende selbst meint. Denken wir den metaphysischen Namen « Substanz » in diesem Sinne, der in « Sein und Zeit » der dort vollzogenen « phänomenologischen Destruktion » gemäss schon vorschwebt (vgl. S. 25), dann sagt der Satz « die ‚Substanz' des Menschen ist die Ek-sistenz » nichts anderes als : die Weise, wie der Mensch in seinem eigenen Wesen zum Sein anwest, ist das ekstatische Inneste-hen in der Wahrheit des Seins. Durch diese Wesensbestimmung des Menschen werden die humanistischen Auslegungen des Menschen als ani-mal rationale, als « Person », als geistig-seelisch-leibliches Wesen nicht für falsch erklärt und nicht verworfen. Vielmehr ist der einzige Gedanke der, dass die höchsten humanistischen Bestimmungen des Wesens des Menschen die eigentliche Würde des Menschen noch nicht erfahren. Insofern ist das Denken in « Sein und Zeit » gegen den Humanis-mus. Aber dieser Gegensatz bedeutet nicht, dass sich solches Denken auf die Gegenseite des Huma-nen schlüge und das Inhumane befürworte, die Unmenschlichkeit verteidige und die Würde des Menschen herabsetze. Gegen den Humanismus wird gedacht, weil er die Humanitas des Menschen nicht hoch genug ansetzt. Freilich beruht die Wesenshoheit des Menschen nicht darin, dass er

déjà la traduction déformante du mot οὐσία, qui indique la présence de ce qui est présent, et la plupart du temps désigne aussi, par une énigmatique ambiguïté, Cela même qui est présent. Si nous pensons le terme métaphysique de « substance » en ce sens qui déjà s'annonce dans *Sein und Zeit,* conformément à la « destruction phénoménologique » accomplie dans ce livre (cf. p. 25), la proposition : « la « substance » de l'homme est l'ek-sistence » ne dit rien d'autre que ceci : la manière selon laquelle l'homme dans sa propre essence est présent à l'Être est l'in-stance extatique dans la vérité de l'Être. Les interprétations humanistes de l'homme comme animal rationale, comme « personne », comme être-spirituel-doué-d'une-âme-et-d'un-corps, ne sont pas tenues pour fausses par cette détermination essentielle de l'homme, ni rejetées par elle. L'unique propos est bien plutôt que les plus hautes déterminations humanistes de l'essence de l'homme n'expérimentent pas encore la dignité propre de l'homme. En ce sens, la pensée qui s'exprime dans *Sein und Zeit* est contre l'humanisme. Mais cette opposition ne signifie pas qu'une telle pensée s'oriente à l'opposé de l'humain, plaide pour l'inhumain, défende la barbarie et rabaisse la dignité de l'homme. Si l'on pense contre l'humanisme, c'est parce que l'humanisme ne situe pas assez haut l'humanitas de l'homme. La grandeur essentielle de l'homme ne repose assurément pas en ce qu'il est la substance de

die Substanz des Seienden als dessen « Subjekt »
ist, um als der Machthaber des Seins das Seiendsein
des Seienden in der allzulaut gerühmten « Objektivität » zergehen zu lassen.

Der Mensch ist vielmehr vom Sein selbst in die
Wahrheit des Seins « geworfen », dass er, dergestalt ek-sistierend, die Wahrheit des Seins hüte,
damit im Lichte des Seins das Seinde als das
Seiende, das es ist, erscheine. Ob es und wie es
erscheint, ob und wie der Gott und die Götter, die
Geschichte und die Natur in die Lichtung des Seins
hereinkommen, an- und abwesen, entscheidet nicht
der Mensch. Die Ankunft des Seienden beruht im
Geschick des Seins. Für den Menschen aber bleibt
die Frage, ob er das Schikliche seines Wesens findet, das diesem Geschick entspricht; denn diesem
gemäss hat er als der Ek-sistierende die Wahrheit
des Seins zu hüten. Der Mensch ist der Hirt des
Seins. Darauf allein denkt « Sein und Zeit »
hinaus, wenn die ekstatische Existenz als « die
Sorge » erfahren ist (vgl. § 44a, S. 226 ff.).

Doch das Sein — was ist das Sein? Es ist Es
selbst. Dies zu erfahren und zu sagen, muss das
künftige Denken lernen. Das « Sein » — das ist
nicht Gott und nicht ein Weltgrund. Das Sein ist
weiter denn alles Seiende und ist gleichwohl dem
Menschen näher als jedes Seiende, sei dies ein Fels,
ein Tier, ein Kunstwerk, eine Maschine, sei es ein
Engel oder Gott. Das Sein ist das Nächste. Doch
die Nähe bleibt dem Menschen am weitesten. Der

l'étant, comme « sujet » de celui-ci, pour dissoudre dans la trop célèbre « objectivité », en tant que dépositaire de la puissance de l'Être, l'être-étant de l'étant.

L'homme est bien plutôt « jeté » par l'Être lui-même dans la vérité de l'Être, afin qu'ek-sistant de la sorte, il veille sur la vérité de l'Être, pour qu'en la lumière de l'Être, l'étant apparaisse comme l'étant qu'il est. Quant à savoir si l'étant apparaît et comment il apparaît, si le dieu et les dieux, l'histoire et la nature entrent dans l'éclaircie de l'Être et comment ils y entrent, s'ils sont présents ou absents et en quelle manière, l'homme n'en décide pas. La venue de l'étant repose dans le destin de l'Être. Mais pour l'homme la question demeure de savoir s'il trouve la convenance propre de son essence, correspondant à ce destin; car, suivant ce destin, il a, en tant que celui qui ek-siste, à veiller sur la vérité de l'Être. L'homme est le berger de l'Être. C'est cela exclusivement que *Sein und Zeit* a projet de penser, lorsque l'existence extatique est expérimentée comme « souci » (§ 44 a, p. 226 sq.).

Mais l'Être — qu'est-ce que l'Être ? L'Être est Ce qu'Il est. Voilà ce que la pensée future doit apprendre à expérimenter et à dire. L' « Être » — ce n'est ni Dieu, ni un fondement du monde. L'Être est plus éloigné que tout étant et cependant plus près de l'homme que chaque étant, que ce soit un rocher, un animal, une œuvre d'art, une machine, que ce soit un ange ou Dieu. L'Être est le plus proche. Cette proxi-

Mensch hält sich zunächst immer schon und nur an das Seiende. Wenn aber das Denken das Seiende als das Seiende vorstellt, bezieht es sich zwar auf das Sein. Doch es denkt in Wahrheit stets nur das Seiende als solches und gerade nicht und nie das Sein als solches. Die « Seinsfrage » bleibt immer die Frage nach dem Seienden. Die Seinsfrage ist noch gar nicht das, was dieser verfängliche Titel bezeichnet : die Frage nach dem Sein. Die Philosophie folgt auch dort, wo sie wie bei Descartes und Kant « kritisch » wird, stets dem Zug des metaphysischen Vorstellens. Sie denkt vom Seienden aus auf dieses zu, im Durchgang durch einen Hinblick auf das Sein. Denn im Lichte des Seins steht schon jeder Ausgang vom Seienden und jede Rückkehr zu ihm.

Aber die Metaphysik kennt die Lichtung des Seins entweder nur als den Herblick des Anwesenden im « Aussehen » (ἰδέα) oder kritisch als das Gesichtete der Hin-sicht des kategorialen Vorstellens von seiten der Subjektivität. Das sagt : die Wahrheit des Seins als die Lichtung selber bleibt der Metaphysik verborgen. Diese Verborgenheit ist jedoch nicht ein Mangel der Metaphysik, sondern der ihr selbst vorenthaltene und doch vorgehaltene Schatz ihres eigenen Reichtums. Die Lichtung selber aber ist das Sein. Sie gewährt innerhalb des Seinsgeschickes der Metaphysik erst Anblick, aus welchem her Anwesendes den zu ihm anwesen-

mité toutefois reste pour l'homme ce qu'il y a de plus reculé. L'homme s'en tient toujours, et d'abord, et seulement, à l'étant. Sans doute, lorsque la pensée représente l'étant comme étant, se réfère-t-elle à l'Être. Mais en vérité elle ne pense constamment que l'étant comme tel, et non point et jamais l'Être comme tel. La « question de l'Être » reste toujours la question qui porte sur l'étant. La question de l'Être n'est nullement encore ce que prétend indiquer cette dénomination fallacieuse : la question qui porte sur l'Être. Là même où la philosophie se fait « critique » comme chez Descartes et Kant, elle suit constamment la ligne de la représentation métaphysique. Elle pense, à partir de l'étant, en direction de cet étant même, passant par la médiation d'un regard sur l'Être. Car c'est dans la lumière de l'Être que se situent déjà toute sortie de l'étant et tout retour à lui.

Mais la métaphysique ne connaît l'éclaircie de l'Être que comme le regard vers nous de ce qui est présent dans l' « apparaître » (ἰδέα), ou, d'un point de vue critique, comme ce que la subjectivité atteint au terme de sa visée dans la représentation catégoriale. C'est dire que la vérité de l'Être, en tant que l'éclaircie elle-même, reste celée à la métaphysique. Ce cèlement toutefois n'est pas une insuffisance de la métaphysique, c'est au contraire le trésor de sa propre richesse qui lui est à elle-même soustrait et cependant présenté. Or cette éclaircie elle-même est l'Être. C'est elle qui d'abord accorde, tout au long du destin de l'Être dans la métaphysique, cet espace de vue du sein duquel ce

den Menschen be-rührt, so dass der Mensch selber erst im Vernehmen (νοεῖν) an das Sein rühren kann (θιγεῖν, Aristoteles, Met. Θ 10). Anblick erst zieht Hin-sicht auf sich. Er überlässt sich dieser, wenn das Vernehmen zum Vor-sich-Herstellen geworden ist in der perceptio der res cogitans als des subiectum der certitudo.

Wie verhält sich jedoch, gesetzt dass wir überhaupt geradehin so fragen dürfen, das Sein zur Ek-sistenz? Das Sein selber ist das Verhältnis, insofern Es die Ek-sistenz in ihrem existenzialen, das heisst ekstatischen Wesen an sich hält und zu sich versammelt als die Ortschaft der Wahrheit des Seins inmitten des Seienden. Weil der Mensch als der Ek-sistierende in dieses Verhältnis, als welches das Sein sich selbst schickt, zu stehen kommt, indem er es ekstatisch aussteht, das heisst, sorgend übernimmt, verkennt er zunächst das Nächste und hält sich an das Uebernächste. Er meint sogar, dieses sei das Nächste. Doch näher als das Nächste und zugleich für das gewöhnliche Denken ferner als sein Fernstes ist die Nähe selbst : die Wahrheit des Seins.

Das Vergessen der Wahrheit des Seins zugunsten des Andrangs des im Wesen unbedachten Seienden ist der Sinn des in « S. u. Z. » genannten « Verfallens ». Das Wort meint nicht einen « moralphilosophisch » verstandenen und zugleich säkularisierten Sündenfall des Menschen, sondern nennt ein wesenhaftes Verhältnis des Menschen

qui est présent atteint l'homme qui lui est présent, de
sorte que seulement dans le percevoir (νοεῖν) l'homme
lui-même peut atteindre à l'Être (θιγεῖν, Aristote,
Met. Θ 10). Seul cet espace de vue attire à lui la visée.
Il se livre à elle, lorsque la perception est devenue la
représentation-production, dans la perceptio de la res
cogitans comme subjectum de la certitudo.

Comment l'Être se rapporte-t-il donc à l'ek-sistence,
s'il nous est toutefois permis de nous poser une telle
question ? L'Être lui-même est le rapport, en tant
qu'Il porte à soi l'ek-sistence dans son essence existentiale, c'est-à-dire extatique, et la ramène à soi
comme ce qui, au sein de l'étant, est le lieu où réside
la vérité de l'Être. C'est parce que l'homme, comme
ek-sistant, parvient à se tenir dans ce rapport en lequel
l'Être se destine lui-même, en le soutenant extatiquement, c'est-à-dire en l'assumant dans le souci, qu'il
méconnaît d'abord le plus proche et se tient à ce
qui vient après. Il croit même que c'est là le plus
proche. Mais plus proche que le plus proche et en
même temps plus lointain pour la pensée habituelle
que son plus lointain est la proximité elle-même : la
vérité de l'Être.

Sein und Zeit appelle « déchéance » l'oubli de la
vérité de l'Être au profit d'une invasion de l'étant non
pensé dans son essence. Le mot ne s'applique pas à
un péché de l'homme compris au sens de la philosophie morale, et par là même sécularisé, il désigne
un rapport essentiel de l'homme à l'Être à l'intérieur

zum Sein innerhalb des Bezugs des Seins zum Menschenwesen. Demgemäss bedeuten die präludierend gebrauchten Titel « Eigentlichkeit » und « Uneigentlichkeit » nicht einen moralisch-existenziellen, nicht einen « anthropologischen » Unterschied, sondern den allererst einmal zu denkenden, weil der Philosophie bisher verborgenen « ekstatischen » Bezug des Menschenwesens zur Wahrheit des Seins. Aber dieser Bezug ist so, wie er ist, nicht auf Grund der Ek-sistenz, sondern das Wesen der Ek-sistenz ist existenzial-ekstatisch aus dem Wesen der Wahrheit des Seins.

Das Einzige, was das Denken, das sich in « S. u. Z. » zum ersten Mal auszusprechen versucht, erlangen möchte ist etwas Einfaches. Als dieses bleibt das Sein geheimnisvoll, die schlichte Nähe eines unaufdringlichen Waltens. Diese Nähe west als die Sprache selbst. Allein die Sprache ist nicht bloss Sprache, insofern wir diese, wenn es hochkommt, als die Einheit von Lautgestalt (Schriftbild), Melodie und Rhythmus und Bedeutung (Sinn) vorstellen. Wir denken Lautgestalt und Schriftbild als den Wortleib, Melodie und Rhythmus als die Seele und das Bedeutungsmässige als den Geist der Sprache. Wir denken die Sprache gewöhnlich aus der Entsprechung zum Wesen des Menschen, insofern dieses als animal rationale, das heisst als die Einheit von Leib-Seele-Geist vorgestellt wird. Doch wie in der Humanitas des homo

de la relation de l'Être à l'essence de l'homme. De la même manière, les termes d' « authenticité » et d' « inauthenticité » qui préludent à cette réflexion n'impliquent aucune différence morale-existentielle ou « anthropologique ». Ils désignent cette relation « extatique » de l'essence de l'homme à la vérité de l'Être qui reste encore à penser avant toute autre chose, parce qu'elle est jusqu'ici demeurée celée à la philosophie. Mais cette relation n'est pas ce qu'elle est sur le fondement de l'ek-sistence. C'est au contraire l'essence de l'ek-sistence qui est existentiale-extatique à partir de l'essence de la vérité de l'Être.

Cela seul que voudrait atteindre la pensée qui cherche à s'exprimer pour la première fois dans *Sein und Zeit* est quelque chose de simple. En tant que cela même, l'Être reste mystérieux, la proximité égale d'une puissance non contraignante. Cette proximité déploie son essence comme le langage lui-même. Celui-ci toutefois n'est point seulement langage au sens où nous le représentons, c'est-à-dire au mieux comme unité de trois éléments : structure phonétique (graphisme), mélodie et rythme, signification (sens). Nous voyons, dans la structure phonétique et le graphisme, le corps du mot, dans la mélodie et le rythme, l'âme, dans la valeur signifiante, l'esprit du langage. Nous pensons d'ordinaire le langage dans une correspondance à l'essence de l'homme, en tant que cette essence est représentée comme animal rationale, c'est-à-dire comme unité d'un corps, d'une âme et d'un esprit. Mais de même que dans l'humanitas de l'homo animalis l'ek-

animalis die Ek-sistenz und durch diese der Bezug der Wahrheit des Seins zum Menschen verhüllt bleibt, so verdeckt die metaphysisch-animalische Auslegung der Sprache deren seinsgeschichtliches Wesen. Diesem gemäss ist die Sprache das vom Sein ereignete und aus ihm durchfügte Haus des Seins. Daher gilt es, das Wesen der Sprache aus der Entsprechung zum Sein und zwar als diese Entsprechung, das ist als Behausung des Menschenwesens zu denken.

Der Mensch aber ist nicht nur ein Lebewesen, das neben anderen Fähigkeiten auch die Sprache besitzt. Vielmehr ist die Sprache das Haus des Seins, darin wohnend der Mensch ek-sistiert, indem er der Wahrheit des Seins, sie hütend, gehört.

So kommt es denn bei der Bestimmung der Menschlichkeit des Menschen als der Ek-sistenz darauf an, dass nicht der Mensch das Wesentliche ist, sondern das Sein als die Dimension des Ekstatischen der Ek-sistenz. Die Dimension jedoch ist nicht das bekannte Räumliche. Vielmehr west alles Räumliche und aller Zeit-Raum im Dimensionalen, als welches das Sein selbst ist.

Das Denken achtet auf diese einfachen Bezüge. Ihnen sucht es das gemässe Wort inmitten der langher überlieferten Sprache der Metaphysik und ihrer Grammatik. Ob dieses Denken, gesetzt dass an einem Titel überhaupt etwas liegt, sich noch als Humanismus bezeichnen lässt? Gewiss nicht, insofern der Humanismus metaphysisch denkt. Gewiss

sistence, et par elle la relation de la vérité de l'Être à l'homme, reste voilée, de même l'interprétation métaphysique du langage sur le mode animal masque son essence historico-ontologique. Selon cette essence, le langage est la maison de l'Être, advenue par lui et sur lui ajointée. C'est pourquoi il importe de penser l'essence du langage dans une correspondance à l'Être et en tant que cette correspondance, c'est-à-dire en tant qu'abri de l'essence de l'homme.

Mais l'homme n'est pas seulement un vivant qui, en plus d'autres capacités, posséderait le langage. Le langage est bien plutôt la maison de l'Être en laquelle l'homme habite et de la sorte ek-siste, en appartenant à la vérité de l'Être sur laquelle il veille.

Il ressort donc de cette détermination de l'humanité de l'homme comme ek-sistence que ce qui est essentiel, ce n'est pas l'homme, mais l'Être comme dimension de l'extatique de l'ek-sistence. La dimension toutefois n'est pas ce qu'on connaît comme milieu spatial. Bien plutôt tout milieu spatial et tout espace-temps déploient-ils leur essence dans le dimensional, qui est comme tel l'Être lui-même.

La pensée est attentive à ces relations simples. Elle cherche, au sein de la langue longtemps traditionnelle de la métaphysique et de sa grammaire, la parole qui les exprime. Reste à savoir si cette pensée peut encore se caractériser comme humanisme, à supposer que de telles étiquettes puissent avoir un contenu. Assurément pas, dans la mesure où l'humanisme pense d'un point de vue métaphysique. Assurément pas, si cet

nicht, wenn er Existentialismus ist und den Satz vertritt, den Sartre ausspricht : Précisément nous sommes sur un plan où il y a seulement des hommes (L'Existentialisme est un humanisme, p. 36). Statt dessen wäre, von « S. u. Z. » her gedacht, zu sagen : Précisément nous sommes sur un plan où il y a principalement l'Etre. Woher aber kommt und was ist le plan? L'Etre et le plan sind das Selbe. In « S. u. Z. » (S. 212) ist mit Absicht und Vorsicht gesagt : il y a l'Etre : « es gibt » das Sein. Das il y a übersetzt das « es gibt » ungenau. Denn das « es », was hier « gibt », ist das Sein selbst. Das « gibt » nennt jedoch das gebende, seine Wahrheit gewährende Wesen des Seins. Das Sichgeben ins Offene mit diesem selbst ist das Sein selber.

Zugleich wird das « es gibt » gebraucht, um vorläufig die Redewendung zu vermeiden : « das Sein ist »; denn gewöhnlich wird das « ist » gesagt von solchem, was ist. Solches nennen wir das Seiende. Das Sein « ist » aber gerade nicht « das Seiende ». Wird das « ist » ohne nähere Auslegung vom Sein gesagt, dann wird das Sein allzuleicht als ein « Seiendes » vorgestellt nach der Art des bekannten Seienden, das als Ursache wirkt und als Wirkung gewirkt ist. Gleichwohl sagt schon Parmenides in der Frühzeit des Denkens : ἔστιν γὰρ εἶναι « Es ist nämlich Sein ». In diesem Wort verbirgt sich das anfängliche Geheimnis für alles Denken. Vielleicht kann das « ist » in der gemässen Weise nur vom Sein gesagt werden, so dass alles

humanisme est un existentialisme et fait sienne cette proposition de Sartre : *Précisément nous sommes sur un plan où il y a seulement des hommes.* Si l'on pense à partir de *Sein und Zeit,* il faudrait plutôt dire : *Précisément nous sommes sur un plan où il y a principalement l'Être.* Mais d'où vient *le plan* et qu'est-ce que *le plan? L'Être et le plan* se confondent. C'est avec intention et en connaissance de cause qu'il est dit dans *Sein und Zeit* (p. 212) : *il y a l'Être : « es gibt » das Sein.* Cet « *il y a* » ne traduit pas exactement « *es gibt* ». Car le « *es* » (ce) qui ici « *gibt* » (donne) est l'Être lui-même. Le « *gibt* » (donne) désigne toutefois l'essence de l'Être, essence qui donne, qui accorde sa vérité. Le don de soi dans l'ouvert au moyen de cet ouvert est l'Être même.

En même temps, la formule : « *es gibt* » (il y a) est employée pour éviter provisoirement celle-ci : « *das Sein ist* » (l'Être est); car, ordinairement, cet « est » se dit de quelque chose qui est. Ce quelque chose, nous l'appelons l'étant. L'Être « est », mais justement il n'est pas « l'étant ». Dire de l'Être qu'il « est » sans plus de commentaires, c'est le représenter trop aisément comme un « étant » sur le mode de l'étant connu qui, comme cause, produit, et, comme effet, est produit. Et pourtant Parménide dit déjà au premier âge de la pensée : ἔστιν γὰρ εἶναι : « il est en effet être ». Dans cette parole se cache le mystère originel pour toute pensée. Peut-être le « est » ne peut-il se dire en rigueur que de l'Être, de sorte que tout étant n' « est »

Seiende nicht und nie eigentlich « ist ». Aber weil das Denken dahin erst gelangen soll, das Sein in seiner Wahrheit zu sagen, statt es wie ein Seiendes aus Seiendem zu erklären, muss für die Sorgfalt des Denkens offen bleiben, ob und wie das Sein ist.

Das ἔστιν γὰρ εἶναι des Parmenides ist heute noch ungedacht. Daran lässt sich ermessen, wie es mit dem Fortschritt der Philosophie steht. Sie schreitet, wenn sie ihr Wesen achtet, überhaupt nicht fort. Sie tritt auf der Stelle, um stets das Selbe zu denken. Das Fortschreiten, nämlich fort von dieser Stelle, ist ein Irrtum, der dem Denken folgt als der Schatten, den es selbst wirft. Weil das Sein noch ungedacht ist, deshalb wird auch in « S. u. Z. » vom Sein gesagt : « es gibt ». Doch über dieses il y a kann man nicht geradezu und ohne Anhalt spekulieren. Dieses « es gibt » waltet als das Geschick des Seins. Dessen Geschichte kommt im Wort der wesentlichen Denker zur Sprache. Darum ist das Denken, das in die Wahrheit des Seins denkt, als Denken geschichtlich. Es gibt nicht ein « systematisches » Denken und daneben zur Illustration eine Historie der vergangenen Meinungen. Es gibt aber auch nicht nur, wie Hegel meint, eine Systematik, die das Gesetz ihres Denkens zum Gesetz der Geschichte machen und diese zugleich in das System aufheben könnte. Es gibt, anfänglicher gedacht, die Geschichte des Seins, in die das Denken als Andenken dieser Geschichte, von ihr selbst ereignet, gehört. Das Andenken unterscheidet sich

pas, ne peut jamais proprement « être ». Mais parce
que la pensée doit d'abord parvenir à dire l'Être dans
sa vérité, au lieu de l'expliquer comme un étant à
partir de l'étant, il faut que devant l'attention vigilante de la pensée, la question demeure ouverte :
l'Être est-il et comment ?

L'ἔστιν γὰρ εἶναι de Parménide n'est pas encore
pensé aujourd'hui. On peut mesurer par là ce qu'il en
est du progrès en philosophie. Lorsqu'elle est attentive
à son essence, la philosophie ne progresse pas. Elle
marque le pas sur place pour penser constamment le
même. Progresser, c'est-à-dire s'éloigner de cette
place [10], est une erreur qui suit la pensée comme
l'ombre qu'elle projette. C'est parce que l'Être n'est
pas encore pensé qu'il est dit aussi de lui dans *Sein
und Zeit* : « *es gibt* » (il y a). Mais sur cet *il y a,*
on ne peut spéculer tout de go ni sans limite. Cet « *es
gibt* » règne comme le destin de l'Être dont l'histoire
accède au langage dans la parole des penseurs essentiels. C'est pourquoi la pensée qui pense en vue de
la vérité de l'Être est, en tant que pensée, historique.
Il n'y a pas une pensée « systématique » à laquelle
s'adjoindrait à titre d'illustration une historiographie
des opinions passées. Mais il n'y a pas non plus seulement, comme Hegel le croit, une systématique qui
pourrait poser la loi de la pensée comme loi de l'histoire et par là résorber l'histoire dans le système. Il y
a, pensé plus originellement, l'histoire de l'Être, à laquelle appartient la pensée, comme mémorial-pensé-
dans-l'Être [11] de cette histoire et advenu par elle. Le

wesentlich von dem nachträglichen Vergegenwär-
tigen der Geschichte im Sinne des vergangenen
Vergehens. Die Geschichte geschieht nicht zuerst
als Geschehen. Und dieses ist nicht Vergehen. Das
Geschehen der Geschichte west als das Geschick
der Wahrheit des Seins aus diesem (vgl den Vortrag über Hölderlins Hymne « Wie wenn am Feiertage... » 1941. S. 31). Zum Geschick kommt das
Sein, indem Es, das Sein, sich gibt. Das aber sagt,
geschickhaft gedacht : Es gibt sich und versagt sich
zumal. Gleichwohl ist Hegels Bestimmung der
Geschichte als der Entwicklung des « Geistes »
nicht unwahr. Sie ist auch nicht teils richtig, teils
falsch. Sie ist so wahr, wie die Metaphysik wahr
ist, die im System zum ersten Mal durch Hegel
ihr absolut gedachtes Wesen zur Sprache bringt.
Die absolute Metaphysik gehört mit ihren Um-
kehrungen durch Marx und Nietzsche in die Geschichte der Wahrheit des Seins. Was aus ihr
stammt, läst sich nicht durch Widerlegungen
treffen oder gar beseitigen. Es lässt sich nur auf-
nehmen, indem seine Wahrheit anfänglicher in das
Sein selbst zurückgeborgen und dem Bezirk einer
bloss menschlichen Meinung entzogen wird. Alles
Widerlegen im Felde des wesentlichen Denkens ist
töricht. Der Streit zwischen den Denkern ist der
« liebende Streit » der Sache selbst. Er verhilft
ihnen wechselweise in die einfache Zugehörigkeit
zum Selben, aus dem sie das Schickliche finden im
Geschick des Seins.

mémorial-pensé-dans-l'Être se différencie essentiellement d'une pure remémoration de l'histoire prise au
sens de passé écoulé. L'histoire n'a pas lieu d'abord
comme avoir-lieu, et l'avoir-lieu n'est pas l'écoulement
temporel. L'avoir-lieu de l'histoire déploie son essence
comme le destin de la vérité de l'Être, à partir de
celui-ci (cf. la conférence sur l'hymne de Hölderlin :
Wie wenn am Feiertage... (*Erlaüterungen zu Hölderlins Dichtung,* 1951, p. 47). L'être accède à son destin,
en tant que Lui-même, l'Être, se donne. Ce qui signifie,
pensé conformément à ce destin : Il se donne et se
refuse à la fois. Toutefois la détermination hégélienne
de l'histoire comme développement de « l'Esprit »
n'est pas fausse. Elle n'est pas non plus en partie juste
et en partie fausse. Elle est vraie comme est vraie la
métaphysique qui, pour la première fois, chez Hegel,
porte au langage dans le système son essence pensée
absolument. La métaphysique absolue, avec les renver-
sements que lui ont fait subir Marx et Nietzsche, appartient à l'histoire de la vérité de l'Être. Ce qui procède
d'elle ne saurait être abordé et encore moins éliminé par
des réfutations. On ne peut que l'accueillir en tant que sa
vérité, ramenée plus originellement à l'Être lui-même,
est celée en lui et soustraite à la sphère d'une opinion
purement humaine. Dans le champ de la pensée essentielle toute réfutation est un non-sens. La lutte entre les
penseurs est la « lutte amoureuse » qui est celle de la
chose même. Elle les aide mutuellement à atteindre
l'appartenance simple au même, en quoi ils trouvent
la conformité à leur destin dans le destin de l'Être.

Gesetzt dass der Mensch inskünftig die Wahrheit des Seins zu denken vermag, dann denkt er aus der Ek-sistenz. Ek-sistierend steht er im Geschick des Seins. Die Ek-sistenz des Menschen ist als Ek-sistenz geschichtlich, nicht aber erst deshalb, oder gar nur deshalb, weil mit dem Menschen und den menschlichen Dingen mancherlei im Verlauf der Zeit geschieht. Weil es gilt, die Ek-sistenz des Da-seins zu denken, deshalb liegt dem Denken in « S. u. Z. » so wesentlich daran, dass die Geschicht-lichkeit des Daseins erfahren wird.

Aber ist nicht in « S. u. Z. » (S. 212), wo das « es gibt » zur Sprache kommt, gesagt : « Nur solange Dasein ist, gibt es Sein » ? Allerdings. Das bedeutet : nur solange die Lichtung des Seins sich ereignet, übereignet sich Sein dem Menschen. Dass aber das Da, die Lichtung als Wahrheit des Seins selbst, sich ereignet, ist die Schickung des Seins selbst. Dieses ist das Geschick der Lichtung. Der Satz bedeutet aber nicht : das Dasein des Menschen im überlieferten Sinne von existentia, und neuzeit-lich gedacht als die Wirklichkeit des ego cogito, sei dasjenige Seiende, wodurch das Sein erst geschaffen werde. Der Satz sagt nicht, das Sein sei ein Produkt des Menschen. In der Einleitung zu « S. u. Z. » (S. 38) steht einfach und klar und sogar im Sperrdruck : « Sein ist das transcendens schlecht-hin. » So wie die Offenheit der räumlichen Nähe jedes nahe und ferne Ding, von diesem her ge-sehen, übersteigt, so ist das Sein wesenhaft weiter

Supposé qu'à l'avenir l'homme parvienne à penser la vérité de l'Être, il pensera alors à partir de l'ek-sistence. Comme ek-sistant l'homme se tient dans le destin de l'Être. L'ek-sistence de l'homme est, en tant qu'ek-sistence, historique, mais elle ne l'est point d'abord, ni même seulement, parce qu'avec l'homme et les affaires humaines toutes sortes de choses surviennent dans le cours du temps. C'est parce qu'il s'agit de penser l'ek-sistence de l'être-le-là, qu'il est si essentiel pour la pensée, dans *Sein und Zeit*, d'avoir expérimenté l'historicité de l'être-là.

Mais n'est-il pas dit dans *Sein und Zeit* (p. 212), où la formule « *es gibt* » accède au langage : « Il n'y a d'Être qu'autant qu'est l'être-là » ? Sans aucun doute. Cela signifie : l'Être ne se transmet à l'homme qu'autant qu'advient l'éclaircie de l'Être. Mais que le « là », l'éclaircie comme vérité de l'Être lui-même advienne, c'est le décret de l'Être lui-même. L'Être est le destin de l'éclaircie. Cette phrase toutefois ne signifie pas que l'être-là de l'homme, au sens traditionnel d'*existentia* et au sens moderne de réalité de l'*ego cogito*, soit cet étant par le moyen duquel l'Être est créé. Elle ne dit pas que l'Être est un produit de l'homme. Dans l'introduction de *Sein und Zeit* (p. 38) se trouve ceci simplement et clairement exprimé et même en italique : « l'Être est le transcendant pur et simple ». De même que l'ouverture de la proximité spatiale dépasse toute chose proche ou lointaine quand on la considère du point de vue de cette chose, de même

als alles Seiende, weil es die Lichtung selbst ist. Dabei wird gemäss dem zunächst unvermeidlichen Ansatz in der noch herrschenden Metaphysik das Sein vom Seienden her gedacht. Nur aus solcher Hinsicht zeigt sich das Sein in einem Uebersteigen und als dieses.

Die einleitende Bestimmung « Sein ist das transcendens schlechthin » nimmt die Weise, wie sich das Wesen des Seins bisher dem Menschen lichtete, in einen einfachen Satz zusammen. Diese rückblickende Bestimmung des Wesens des Seins aus der Lichtung des Seienden als eines solchen bleibt für den vordenkenden Ansatz der Frage nach der Wahrheit des Seins unumgänglich. So bezeugt das Denken sein geschickliches Wesen. Ihm liegt die Anmassung fern, von vorne anfangen zu wollen und alle vorausgegangene Philosophie für falsch zu erklären. Ob jedoch die Bestimmung des Seins als des schlichten transcendens schon das einfache Wesen der Wahrheit des Seins nennt, das und das allein ist doch allerest die Frage für ein Denken, das versucht, die Wahrheit des Seins zu denken. Darum heisst es auch S. 230, dass erst aus dem « Sinn », das heisst aus der Wahrheit des Seins, zu verstehen sei, wie Sein ist. Sein lichtet sich dem Menschen im ekstatischen Entwurf. Doch dieser Entwurf schafft nicht das Sein.

Ueberdies aber ist der Entwurf wesenhaft ein geworfener. Das Werfende im Entwerfen ist nicht der Mensch, sondern das Sein selbst, das den

l'Être est essentiellement au-delà de tout étant parce qu'il est l'éclaircie elle-même. En cela, l'Être est pensé à partir de l'étant, selon une manière de voir de prime abord inévitable dans la métaphysique encore régnante. C'est seulement dans une telle perspective que l'Être se découvre en un dépassement et en tant que ce dépassement.

Cette détermination introductive : « l'Être est le transcendant pur et simple » rassemble en une proposition simple la manière selon laquelle l'essence de l'Être jusqu'à présent s'éclaircissait pour l'homme. Cette détermination à rebours de l'essence de l'Être à partir de l'éclaircie de l'étant comme tel demeure inévitable pour toute pensée qui cherche à se poser la question portant sur la vérité de l'Être. La pensée atteste ainsi la destination propre de son essence. Loin d'elle la prétention de vouloir tout reprendre par le début et de déclarer fausse toute philosophie antérieure. Mais quant à savoir si la détermination de l'Être comme pur transcendant désigne déjà l'essence simple de la vérité de l'Être, c'est là l'unique question qu'ait à se poser avant tout une pensée qui cherche à penser la vérité de l'Être. C'est aussi pourquoi il est dit, p. 230, que c'est seulement à partir du « sens », c'est-à-dire de la vérité de l'Être, qu'on peut comprendre comment l'Être est. L'Être s'éclaircit pour l'homme dans le projet extatique [12]. Mais ce projet ne crée pas l'Être.

Du reste, ce projet est, dans son essence, un projet jeté. Ce qui jette dans le projeter n'est pas l'homme, mais l'Être lui-même qui destine l'homme à l'ek-

Menschen in die Ek-sistenz des Da-seins als sein Wesen schickt. Dieses Geschick ereignet sich als die Lichtung des Seins, als welche es ist. Sie gewährt die Nähe zum Sein. In dieser Nähe, in der Lichtung des « Da » wohnt der Mensch als der Ek-sistierende, ohne dass er es heute schon vermag, dieses Wohnen eigens zu erfahren und zu übernehmen. Die Nähe « des » Seins, als welche das « Da » des Daseins ist, wird in der Rede über Hölderlins Elegie « Heim-kunft » (1943) von « Sein und Zeit » her gedacht, aus dem Gedicht des Sängers gesagter vernommen und aus der Erfahrung der Seinsvergessenheit die « Heimat » genannt. Dieses Wort wird hier in einem wesentlichen Sinne gedacht, nicht patrio-tisch, nicht nationalistisch, sondern seinsgeschicht-lich. Das Wesen der Heimat ist aber zugleich in der Absicht genannt, die Heimatlosigkeit des neuzeitlichen Menschen aus dem Wesen der Geschichte des Seins her zu denken. Zuletzt hat Nietzsche diese Heimatlosigkeit erfahren. Er ver-mochte aus ihr innerhalb der Metaphysik keinen anderen Ausweg zu finden als die Umkehrung der Metaphysik. Das aber ist die Vollendung der Aus-weglosigkeit. Hölderlin jedoch ist, wenn er die « Heimkunft » dichtet, darum besorgt, dass seine « Landesleute » in ihr Wesen finden. Dieses sucht er keineswegs in einem Egoismus seines Volkes. Er sieht es vielmehr aus der Zugehörigkeit in das Geschick des Abendlandes. Allein auch das Abend-land ist nicht regional als Occident im Unterschied

sistence de l'être-le-là comme à son essence. Ce destin
advient comme l'éclaircie de l'Être; il est lui-même
cette éclaircie. Il accorde la proximité-à-l'Être. Dans
cette proximité, dans l'éclaircie du « là », habite
l'homme en tant qu'ek-sistant, sans qu'il soit encore
à même aujourd'hui d'expérimenter proprement cet
habiter et de l'assumer. Cette proximité « de » l'Être
qui est en elle-même le « là » de l'être-là, le discours
sur l'élégie *Heimkunft* de Hölderlin (1943), qui est
pensé à partir de *Sein und Zeit,* l'appelle « la patrie »,
d'un mot emprunté au chant même du poète et en
partant de l'expérience de l'oubli de l'Être. Le mot
est ici pensé en un sens essentiel, non point patriotique,
ni nationaliste, mais sur le plan de l'histoire de l'Être.
L'essence de la patrie est nommée également dans l'intention de penser l'absence de patrie de l'homme
moderne à partir de l'essence de l'histoire de l'Être.
Nietzsche est le dernier à avoir expérimenté cette
absence de patrie. Il ne pouvait lui trouver d'autre
issue, à l'intérieur de la métaphysique, que dans le
renversement de la métaphysique. Mais c'était là se
fermer définitivement toute issue. En fait, Hölderlin,
lorsqu'il chante le « retour à la patrie », a souci de
faire accéder ses « compatriotes » à leur essence. Il
ne cherche nullement cette essence dans un égoïsme
national. Il la voit bien plutôt à partir de l'appartenance au destin de l'Occident. Toutefois, l'Occident
n'est pensé, ni de façon régionale, comme Couchant

zum Orient gedacht, nicht bloss als Europa, sondern weltgeschichtlich aus der Nähe zum Ursprung. Wir haben noch kaum begonnen, die geheimnisvollen Bezüge zum Osten zu denken, die in Hölderlins Dichtung Wort geworden sind (vgl. « Der Ister », ferner « Die Wanderung » 3. Strophe u. ff.). Das « Deutsche » ist nicht der Welt gesagt, damit sie am deutschen Wesen genese, sondern es ist den Deutschen gesagt, damit sie aus der geschickhaften Zugehörigkeit zu den Völkern mit diesen weltgeschichtlich werden (vgl. zu Hölderlins Gedicht « Andenken », Tübinger Gedenkschrift 1943. S. 322). Die Heimat dieses geschichtlichen Wohnens ist die Nähe zum Sein.

In dieser Nähe vollzieht sich wenn überhaupt die Entscheidung, ob und wie der Gott und die Götter sich versagen und die Nacht bleibt, ob und wie der Tag des Heiligen dämmert, ob und wie im Aufgang des Heiligen ein Erscheinen des Gottes und der Götter neu beginnen kann. Das Heilige aber, das nur erst der Wesensraum der Gottheit ist, die selbst wiederum nur die Dimension für die Götter und den Gott gewährt, kommt dann allein ins Scheinen, wenn zuvor und in langer Vorbereitung das Sein selbst sich gelichtet hat und in seiner Wahrheit erfahren ist. Nur so beginnt aus dem Sein die Ueberwindung der Heimatlosigkeit, in der nicht nur die Menschen, sondern das Wesen des Menschen umherirren.

Die so zu denkende Heimatlosigkeit beruht in

opposé au Levant, ni même seulement comme Europe, mais sur le plan de l'histoire du monde, à partir de la proximité à l'origine. Nous avons à peine commencé de penser les relations mystérieuses avec l'Est qui sont devenues parole dans la poésie de Hölderlin (cf. *Der Ister, Die Wanderung*, 3ᵉ strophe et suivantes). La « réalité allemande » n'est pas dite au monde pour qu'en l'essence allemande le monde trouve sa guérison; elle est dite aux Allemands pour qu'en vertu du destin qui les lie aux autres peuples ils deviennent avec eux participants à l'histoire du monde (cf. *zu Hölderlins Gedicht, « Andenken »*, Tübinger Gedenkschrift, 1943, p. 322). La patrie de cet habiter historique est la proximité à l'Être.

C'est dans cette proximité ou jamais que doit se décider si le dieu et les dieux se refusent et comment ils se refusent et si la nuit demeure, si le jour du sacré se lève et comment il se lève, si dans cette aube du sacré une apparition du dieu et des dieux peut à nouveau commencer et comment. Or le sacré, seul espace essentiel de la divinité qui à son tour accorde seule la dimension pour les dieux et le dieu, ne vient à l'éclat du paraître que lorsque au préalable et dans une longue préparation, l'Être s'est éclairci et a été expérimenté dans sa vérité. C'est ainsi seulement, à partir de l'Être, que commence le dépassement de l'absence de patrie en laquelle s'égarent non seulement les hommes, mais l'essence même de l'homme.

L'absence de patrie qui reste ainsi à penser repose

der Seinsverlassenheit des Seienden. Sie ist das Zeichen der Seinsvergessenheit. Dieser zufolge bleibt die Wahrheit des Seins ungedacht. Die Seinsvergessenheit bekundet sich mittelbar darin, dass der Mensch immer nur das Seiende betrachtet und bearbeitet. Weil er dabei nicht umhin kann, das Sein in der Vorstellung zu haben, wird auch das Sein nur als das « Generellste » und darum Umfassende des Seienden oder als eine Schöpfung des unendlichen Seienden oder als das Gemächte eines endlichen Subjekts erklärt. Zugleich steht von altersher « das Sein » für « das Seiende » und umgekehrt dieses für jenes, beide wie umgetrieben in einer seltsamen und noch unbedachten Verwechslung.

Das Sein als das Geschick, das Wahrheit schickt, bleibt verborgen. Aber das Weltgeschick kündigt sich in der Dichtung an, ohne dass es schon als Geschichte des Seins offenbar wird. Das weltgeschichtliche Denken Hölderlins das im Gedicht « Andenken » zum Wort kommt, ist darum wesentlich anfänglicher und deshalb zukünftiger als das blosse Weltbürgertum Goethes. Aus demselben Grunde ist der Bezug Hölderlins zum Griechentum etwas wesentlich anderes als Humanismus. Darum haben die jungen Deutschen, die von Hölderlin wussten, angesichts des Todes Anderes gedacht und gelebt als das, was die Oeffentlichkeit als deutsche Meinung ausgab.

Die Heimatlosigkeit wird ein Weltschicksal.

dans l'abandon de l'Être, propre à l'étant. Elle est le signe de l'oubli de l'Être. Par suite de cet oubli, la vérité de l'Être demeure impensée. L'oubli de l'Être se dénonce indirectement en ceci que l'homme ne considère jamais que l'étant et n'opère que sur lui. Mais parce que l'homme ne peut alors s'empêcher de se faire de l'Être une représentation, l'Être n'est défini que comme le « concept le plus général » de l'étant et par le fait comme ce qui l'englobe, ou comme une création de l'Étant infini, ou comme le produit[13] d'un sujet fini. En même temps, et cela depuis toujours, « l'Être » est pris pour « l'étant », et inversement « l'étant » est pris pour « l'Être », tous deux étant comme mélangés dans une confusion étrange et sur laquelle on n'a pas encore réfléchi.

L'Être en tant que le destin qui destine la vérité reste celé. Mais le destin du monde s'annonce dans la poésie sans être manifesté déjà comme histoire de l'Être. C'est pourquoi la pensée de Hölderlin, aux dimensions de l'histoire du monde, qui s'exprime dans le poème : *Andenken,* est essentiellement plus originelle et par le fait même plus future que le pur cosmopolitisme de Gœthe. Pour la même raison, la relation de Hölderlin à l'hellénisme est essentiellement autre chose qu'un humanisme. Aussi les jeunes Allemands qui avaient connaissance de Hölderlin ont-ils pensé et vécu en face de la mort Autre chose que ce que la publicité a prétendu être l'opinion allemande.

L'absence de patrie devient un destin mondial. C'est

Darum ist es nötig, dieses Geschick seinsgeschicht-
lich zu denken. Was Marx in einem wesentlichen
und bedeutenden Sinne von Hegel her als die
Entfremdung des Menschen erkannt hat, reicht mit
seinen Wurzeln in die Heimatlosigkeit des neuzeitlichen Menschen zurück. Diese wird und zwar aus
dem Geschick des Seins in der Gestalt der Metaphysik hervorgerufen, durch sie verfestigt und zugleich von ihr als Heimatlosigkeit verdeckt. Weil
Marx, indem er die Entfremdung erfährt, in eine
wesentliche Dimension der Geschichte hineinreicht,
deshalb ist die marxistische Anschauung von der
Geschichte der übrigen Historie überlegen. Weil
aber weder Husserl, noch, soweit ich bisher sehe,
Sartre die Wesentlichkeit des Geschichtlichen im
Sein erkennen, deshalb kommt weder die Phänomenologie, noch der Existentialismus in diejenige
Dimension, innerhalb deren erst ein produktives
Gespräch mit dem Marxismus möglich wird.

Hierzu ist freilich auch nötig, dass man sich von
den naiven Vorstellungen über den Materialismus
und von den billigen Widerlegungen, die ihn
treffen sollen, freimacht. Das Wesen des Materialismus besteht nicht in der Behauptung, alles sei nur
Stoff, vielmehr in einer metaphysischen Bestimmung, der gemäss alles Seiende als das Material der
Arbeit erscheint. Das neuzeitlich-metaphysische
Wesen der Arbeit ist in Hegels « Phänomenologie
des Geistes » vorgedacht als der sich selbst ein-
richtende Vorgang der unbedingten Herstellung,

pourquoi il est nécessaire de penser ce destin sur le plan de l'histoire de l'Être. Ainsi ce que Marx, partant de Hegel, a reconnu en un sens important et essentiel comme étant l'aliénation de l'homme, plonge ses racines dans l'absence de patrie de l'homme moderne. Cette absence de patrie se dénonce, et cela à partir du destin de l'Être, sous les espèces de la métaphysique qui la renforce en même temps qu'elle la dissimule comme absence de patrie. C'est parce que Marx, faisant l'expérience de l'aliénation, atteint à une dimension essentielle de l'histoire, que la conception marxiste de l'histoire est supérieure à toute autre chronologie. Par contre, du fait que ni Husserl, ni encore, à ma connaissance, Sartre, ne reconnaissent que l'historique a son essentialité dans l'Être, la phénoménologie, pas plus que l'existentialisme, ne peuvent parvenir à cette dimension au sein de laquelle seule devient possible un dialogue fructueux avec le marxisme.

Mais pour cela, il faut évidemment se libérer des représentations naïves du matérialisme et des réfutations à bon marché qui pensent l'atteindre. L'essence du matérialisme ne consiste pas dans l'affirmation que tout n'est que matière, mais bien plutôt dans une détermination métaphysique, selon laquelle tout étant apparaît comme la matière d'un travail. Hegel a pensé à l'avance, dans la *Phénoménologie de l'Esprit,* l'essence métaphysique et moderne du travail comme

das ist Vergegenständlichung des Wirklichen durch den als Subjektivität erfahrenen Menschen. Das Wesen des Materialismus verbirgt sich im Wesen der Technik, über die zwar viel geschrieben, aber wenig gedacht wird. Die Technik ist in ihrem Wesen ein seinsgeschichtliches Geschick der in der Vergessenheit ruhenden Wahrheit des Seins. Sie geht nämlich nicht nur im Namen auf die τέχνη der Griechen zurück, sondern sie stammt wesensgeschichtlich aus der τέχνη als einer Weise des ἀληθεύειν, das heisst des Offenbarmachens des Seienden. Als eine Gestalt der Wahrheit gründet die Technik in der Geschichte der Metaphysik. Diese selbst ist eine ausgezeichnete und die bisher allein übersehbare Phase der Geschichte des Seins. Man mag zu den Lehren des Kommunismus und zu deren Begründung in verschiedener Weise Stellung nehmen, seinsgeschichtlich steht fest, dass sich in ihm eine elementare Erfahrung dessen ausspricht, was weltgeschichtlich ist. Wer den « Kommunismus » nur als « Partei » oder als « Weltanschauung » nimmt, denkt in der gleichen Weise zu kurz wie diejenigen, die beim Titel « Amerikanismus » nur und dazu noch abschätzig einen besonderen Lebensstil meinen. Die Gefahr, in die das bisherige Europa immer deutlicher gedrängt wird, besteht vermutlich darin, dass allem zuvor sein Denken — einst seine Grösse — im Wesensgang des anbrechenden Weltgeschickes zurückfällt,

le processus s'organisant lui-même de la production inconditionnée, c'est-à-dire comme l'objectivation du réel par l'homme, expérimenté lui-même comme subjectivité. L'essence du matérialisme se cèle dans l'essence de cette technique sur laquelle, à vrai dire, on a beaucoup écrit mais peu pensé. La technique est, dans son essence, un destin historico-ontologique de la vérité de l'Être en tant qu'elle repose dans l'oubli. Ce n'est pas seulement selon l'étymologie qu'elle remonte à la τέχνη des Grecs, mais sa source historique essentielle est à chercher dans la τέχνη comme mode de l'ἀληθεύειν, c'est-à-dire comme mode de la manifestation de l'étant. En tant qu'elle est une forme de la vérité, la technique a son fondement dans l'histoire de la métaphysique. Cette dernière est elle-même une phase marquante de l'histoire de l'Être, la seule qu'on puisse jusqu'ici embrasser du regard. On peut prendre position de différentes manières vis-à-vis des enseignements du communisme et de ce qui les fonde; sur le plan de l'histoire de l'Être, il est certain qu'en lui s'exprime une expérience élémentaire du devenir historique du monde. Ne voir dans le « communisme » qu'un « parti » ou une « conception du monde », c'est penser aussi court que ceux qui sous l'étiquette d' « américanisme » ne veulent désigner, et qui plus est en le dépréciant, qu'un style de vie particulier. Le danger auquel l'Europe actuelle se trouve toujours plus manifestement acculée, consiste probablement avant tout en ce que sa pensée, qui était autrefois sa grandeur, recule sur le chemin essentiel du destin

das gleichwohl in den Grundzügen seiner Wesensherkunft europäisch bestimmt bleibt. Keine Metaphysik, sie sei idealistisch, sie sei materialistisch, sie
sei christlich, kann ihrem Wesen nach, und keineswegs nur in den versuchten Anstrengungen, sich zu
entfalten, das Geschick noch ein-holen, dies meint :
denkend erreichen und versammeln, was in einem
erfüllten Sinn von Sein jetzt ist.

Angesichts der wesenhaften Heimatlosigkeit des
Menschen zeigt sich dem seinsgeschichtlichen Denken das künftige Geschick des Menschen darin,
dass er in die Wahrheit des Seins findet und sich zu
diesem Finden auf den Weg macht. Jeder Nationalismus ist metaphysisch ein Anthropologismus und
als solcher Subjektivismus. Der Nationalismus wird
durch den blossen Internationalismus nicht überwunden, sondern nur erweitert und zum System erhoben. Der Nationalismus wird dadurch so wenig
zur Humanitas gebracht und aufgehoben, wie der
Individualismus durch den geschichtslosen Kollek-
tivismus. Dieser ist die Subjektivität des Menschen
in der Totalität. Er vollzieht ihre unbedingte
Selbstbehauptung. Diese lässt sich nicht rückgängig
machen. Sie lässt sich durch ein halbseitig ver-
mittelndes Denken nicht einmal zureichend erfahren. Ueberall kreist der Mensch, ausgestossen
aus der Wahrheit des Seins, um sich selbst als das
animal rationale.

Das Wesen des Menschen besteht aber darin,
dass er mehr ist als der blosse Mensch, insofern

mondial qui s'annonce, destin qui demeure pourtant européen dans les traits fondamentaux de sa provenance essentielle. Aucune métaphysique, qu'elle soit idéaliste, matérialiste ou chrétienne, ne peut, selon son essence, ni en vertu des seuls efforts qu'elle tente pour se déployer, re-joindre encore le destin, j'entends : atteindre et rassembler dans la pensée ce qui de l'Être est actuellement accompli.

En regard de l'essentielle absence de patrie qui affecte l'homme, et pour la pensée historico-ontologique, le destin futur de l'homme se révèle en ceci qu'il a à découvrir la vérité de l'Être et à se mettre sur le chemin de cette découverte. Tout nationalisme est, sur le plan métaphysique, un anthropologisme et comme tel un subjectivisme. Le nationalisme n'est pas surmonté par le pur internationalisme, mais seulement élargi et érigé en système. Il accède aussi peu par là même à l'humanitas et s'achève aussi peu en elle que l'individualisme n'y parvient dans le collectivisme sans histoire. Le collectivisme est la subjectivité de l'homme sur le plan de la totalité. Il accomplit la propre affirmation inconditionnée de cette subjectivité. Cette affirmation ne se laisse pas briser. Elle ne se laisse pas même expérimenter d'une manière suffisante par une pensée qui n'en médiatise qu'un côté. Partout l'homme, exilé de la vérité de l'Être, tourne en rond autour de lui-même comme animal rationale.

Mais l'essence de l'homme consiste en ce que l'homme est plus que l'homme seul, pour autant qu'il

dieser als das vernünftige Lebewesen vorgestellt
wird. « Mehr » darf hier nicht additiv verstanden
werden, als sollte die überlieferte Definition des
Menschen zwar die Grundbestimmung bleiben, um
dann nur durch einen Zusatz des Existenziellen
eine Erweiterung zu erfahren. Das « mehr » bedeutet : ursprünglicher und darum im Wesen
wesentlicher. Aber hier zeigt sich das Rätselhafte :
der Mensch ist in der Geworfenheit. Das sagt : der
Mensch ist als der ek-sistierende Gegenwurf des
Seins insofern mehr denn das animal rationale, als
er gerade weniger ist im Verhältnis zum Menschen,
der sich aus der Subjektivität begreift. Der Mensch
ist nicht der Herr des Seienden. Der Mensch ist der
Hirt des Seins. In diesem « weniger » büsst der
Mensch nichts ein, sondern er gewinnt, indem er in
die Wahrheit des Seins gelangt. Er gewinnt die
wesenhafte Armut des Hirten, dessen Würde darin
beruht, vom Sein selbst in die Wahrnis seiner
Wahrheit gerufen zu sein. Dieser Ruf kommt als
der Wurf, dem die Geworfenheit des Da-seins
entstammt. Der Mensch ist in seinem seinsgeschichtlichen Wesen das Seiende, dessen Sein als Ek-
sistenz darin besteht, dass es in der Nähe des Seins
wohnt. Der Mensch ist der Nachbar des Seins.

Aber, so werden Sie mir schon längst entgegnen
wollen, denkt solches Denken nicht gerade die
Humanitas des homo humanus ? Denkt es diese
Humanitas nicht in einer so entscheidenden Bedeutung, wie sie keine Metaphysik gedacht hat und je

est représenté comme vivant doué de raison. « Plus »
ne saurait être ici compris en un sens additif, comme
si la définition traditionnelle de l'homme devait rester
la détermination fondamentale, pour connaître ensuite
un élargissement par la seule adjonction du caractère
existentiel. Le « plus » signifie : plus originel, et par le
fait plus essentiel dans l'essence. Mais ici se révèle
l'énigme : l'homme est dans la situation d'être-jeté[14].
Ce qui veut dire : en tant que la réplique ek-sistante
de l'Être, l'homme dépasse d'autant plus l'animal rationale qu'il est précisément moins en rapport avec
l'homme qui se saisit lui-même à partir de la subjectivité. L'homme n'est pas le maître de l'étant.
L'homme est le berger de l'Être. Dans ce « moins »,
l'homme ne perd rien, il gagne au contraire, en par-
venant à la vérité de l'Être. Il gagne l'essentielle pauvreté du berger dont la dignité repose en ceci : être
appelé par l'Être lui-même à la sauvegarde de sa
vérité. Cet appel vient comme la projection où s'origine l'être-jeté de l'être-le-là. Dans son essence historico-ontologique, l'homme est cet étant dont l'être
comme ek-sistence consiste en ceci qu'il habite dans la
proximité de l'Être. L'homme est le voisin de l'Être.

Mais, êtes-vous prêt sans doute à me répliquer depuis longtemps, une telle pensée ne pense-t-elle pas
précisément l'humanitas de l'homo humanus ? Ne
pense-t-elle pas cette humanitas en un sens plus décisif
qu'aucune métaphysique ne l'a fait jusqu'alors et n'est

denken kann? Ist das nicht « Humanismus » im äussersten Sinn? Gewiss. Es ist der Humanismus, der die Menschheit des Menschen aus der Nähe zum Sein denkt. Aber es ist zugleich der Humanismus, bei dem nicht der Mensch, sondern das geschichtliche Wesen des Menschen in seiner Herkunft aus der Wahrheit des Seins auf dem Spiel steht. Aber steht und fällt in diesem Spiel dann nicht zugleich die Ek-sistenz des Menschen? So ist es.

In « S. u. Z. » wird (S. 38) gesagt, dass alles Fragen der Philosophie « in die Existenz zurückschlägt ». Aber die Existenz ist hier nicht die Wirklichkeit des ego cogito. Sie ist auch nicht nur die Wirklichkeit der mit-und für-einander wirkenden und so zu sich selbst kommenden Subjekte. « Ek-sistenz » ist im fundamentalen Unterschied zu aller existentia und « existence » das ek-statische Wohnen in der Nähe des Seins. Sie ist die Wächterschaft, das heisst die Sorge für das Sein. Weil in diesem Denken etwas Einfaches zu denken ist, deshalb fällt es dem als Philosophie überlieferten Vorstellen so schwer. Allein das Schwierige besteht nicht darin, einem besonderen Tiefsinn nachzuhängen und verwickelte Begriffe zu bilden, sondern es verbirgt sich in dem Schrittzurück, der das Denken in ein erfahrendes Fragen eingehen und das gewohnte Meinen der Philosophie fallen lässt.

Man meint allenthalben, der Versuch in « Sein und Zeit » sei in eine Sackgasse geraten. Lassen wir

capable de le faire ? N'est-ce pas là un « humanisme »
au sens le plus fort du terme ? Assurément. C'est l'humanisme qui pense l'humanité de l'homme à partir
de la proximité à l'Être. Mais c'est en même temps
l'humanisme dans lequel est en jeu non point l'homme,
mais l'essence historique de l'homme en sa provenance du sein de la vérité de l'Être. Mais alors, l'ek-
sistence de l'homme n'entre-t-elle pas en jeu du même
coup ? Sans aucun doute.

Il est dit dans *Sein und Zeit* (p. 38) que toute question de la philosophie « renvoie à l'existence ». Mais
l'existence dont on parle n'est pas la réalité de l'ego
cogito. Elle n'est pas non plus seulement la réalité des
sujets produisant en commun les uns pour les autres
et par là même venant à soi. Différente en cela fonda-
mentalement de toute existentia et « existence », « l'ek-
sistence » est l'habitation ek-statique dans la proximité
de l'Être. Elle est la vigilance, c'est-à-dire le souci de
l'Être. C'est parce qu'en cette pensée il s'agit de penser
quelque chose de simple, que la pensée par représentation reçue traditionnellement comme philosophie y
trouve tant de difficulté. Seulement le difficile n'est pas
de s'attacher à un sens particulièrement profond, ni de
former des concepts compliqués. Il se cache bien plutôt dans la démarche de recul qui fait accéder la pensée
à une question qui soit expérience et rend vaine l'opinion habituelle de la philosophie.

On répète partout que la tentative de *Sein und Zeit*
a abouti à une impasse. Laissons cette opinion à elle-

diese Meinung auf sich beruhen. Ueber « Sein und Zeit » ist das Denken, das in der so betitelten Abhandlung einige Schritte versucht, auch heute nicht hinausgekommen. Vielleicht ist es aber inzwischen um einiges eher in seine Sache hineingekommen. So lange die Philosophie jedoch sich nur damit beschäftigt, ständig die Möglichkeit zu verbauen, sich erst auf die Sache des Denkens, nämlich die Wahrheit des Seins, einzulassen, steht sie gesichert ausserhalb der Gefahr, jemals an der Härte ihrer Sache zu zerbrechen. Darum ist das « Philosophieren » über das Scheitern durch eine Kluft getrennt von einem scheiternden Denken. Wenn dieses einem Menschen glücken dürfte, geschähe kein Unglück. Ihm würde das einzige Geschenk, das dem Denken aus dem Sein zukommen könnte.

Allein auch dies gilt : die Sache des Denkens ist nicht dadurch erreicht, dass nun ein Gerede über « die Wahrheit des Seins » und über die « Seinsgeschichte » auf die Bahn gebracht wird. Alles liegt einzig daran, dass die Wahrheit des Seins zur Sprache komme und dass das Denken in diese Sprache gelange. Vielleicht verlangt dann die Sprache weit weniger das überstürzte Aussprechen als vielmehr das rechte Schweigen. Doch wer von uns Heutigen möchte sich einbilden, seine Versuche zu denken seien auf dem Pfad des Schweigens heimisch ? Wenn es weit geht, könnte unser Denken vielleicht auf die Wahrheit des Seins hin-

même. La pensée qui fait quelques pas dans cet ouvrage, aujourd'hui encore demeure en suspens. Mais peut-être entre-temps s'est-elle quelque peu rapprochée de son objet[15]. Aussi longtemps toutefois que la philosophie ne s'occupe constamment que de s'ôter à elle-même toute possibilité d'accès à l'objet de la pensée qui n'est autre que la vérité de l'Être, elle échappe assurément au danger de se rompre jamais à la dureté de son objet. C'est pourquoi le fait de « philosopher » sur l'échec[16] est séparé par un abîme d'une pensée qui elle-même échoue. Si un homme avait l'heur d'accéder à une telle pensée, il n'y aurait là aucun malheur. A cet homme serait fait l'unique don qui puisse venir de l'Être à la pensée.

Mais il faut ajouter ceci : l'objet de la pensée n'est pas atteint, du fait qu'on met en train un bavardage sur « la vérité de l'Être » et sur l' « histoire de l'Être ». Ce qui compte, c'est uniquement que la vérité de l'Être vienne au langage et que la pensée atteigne à ce langage. Peut-être alors le langage exige-t-il beaucoup moins l'expression précipitée qu'un juste silence. Mais qui d'entre nous, hommes d'aujourd'hui, pourrait s'imaginer que ses tentatives pour penser sont chez elles sur le sentier du silence ? Si elle va assez loin, peut-être notre pensée pourrait-elle signaler la vérité de l'Être

weisen und zwar auf sie als das Zu-Denkende. Sie
wäre damit eher dem blossen Ahnen und Meinen
entzogen und dem rar gewordenen Hand-werk der
Schrift zugewiesen. Die Sachen, an denen etwas ist,
kommen, auch wenn sie nicht für die Ewigkeit
bestimmt sind, selbst in spätester Zeit noch recht-
zeitig.

Ob der Bereich der Wahrheit des Seins eine
Sackgasse oder ob er das Freie ist, worin die Freiheit
ihr Wesen spart, möge jeder beurteilen, nachdem
er selbst versucht hat, den gewiesenen Weg zu
gehen oder, was noch besser ist, einen besseren, das
heisst einen der Frage gemässen Weg zu bahnen.
Auf der vorletzten Seite von « S. u. Z. » (S. 437)
stehen die Sätze : « der *Streit* bezüglich der Interpretation des Seins (das heisst also nicht des Seienden, auch nicht des Seins des Menschen) kann nicht
geschlichtet werden, *weil er noch nicht einmal
entfacht ist.* Und am Ende lässt er sich nicht « vom
Zaun brechen », sondern das Entfachen des Streites
bedarf schon einer Zurüstung. Hierzu allein ist die
vorliegende Untersuchung unterwegs. » Diese Sätze
gelten heute noch nach zwei Jahrzehnten. Bleiben
wir auch in den kommenden Tagen auf dem Weg
als Wanderer in die Nachbarschaft des Seins. Die
Frage, die Sie stellen, hilft, den Weg zu verdeut-
lichen.

Sie fragen : Comment redonner un sens au mot
« Humanisme » ? « Auf welche Weise lässt sich
dem Wort Humanismus ein Sinn zurückgeben ? »

et la signaler comme ce qui est à-penser. Elle serait ainsi soustraite à la pure opinion et conjecture et remise à cet artisanat de l'écriture, devenu rare aujourd'hui. Les choses qui sont de poids, quand bien même elles ne sont pas fixées pour l'éternité, viennent encore à leur heure, même si c'est l'heure la plus tardive.

Quant à savoir si le domaine de la vérité de l'Être est une impasse ou s'il est la dimension libre où la liberté ménage son essence, chacun en pourra juger, quand il aura lui-même tenté de s'engager sur le chemin indiqué ou, ce qui est mieux encore, en aura frayé un meilleur, c'est-à-dire en conformité avec la question. A l'avant-dernière page de *Sein und Zeit* (p. 437), on peut lire les phrases suivantes : « Le débat relatif à l'interprétation de l'Être (je ne dis pas de l'étant, non plus que de l'être de l'homme) ne peut pas être clos *parce qu'il n'est pas même encore engagé.* Et on ne peut tout de même l'imposer de force, mais pour engager un débat, encore faut-il s'y préparer. C'est vers ce but seul qu'est en route la présente recherche. » Ces phrases restent valables aujourd'hui encore après vingt ans. Restons donc, dans les jours qui viennent, sur cette route, comme des voyageurs en marche vers le voisinage de l'Être. La question que vous posez aide à préciser ce qu'est cette route.

Vous demandez : *Comment redonner un sens au mot « Humanisme » ?* Cette question ne présuppose pas seulement que vous voulez maintenir le mot

Ihre Frage setzt nicht nur voraus, dass Sie das Wort « Humanismus » festhalten wollen, sondern sie enthält auch das Zugeständnis, dass dieses Wort seinen Sinn verloren hat.

Es hat ihn verloren durch die Einsicht, dass das Wesen des Humanismus metaphysisch ist und das heisst jetzt, dass die Metaphysik die Frage nach der Wahrheit des Seins nicht nur nicht stellt, sondern verbaut, insofern die Metaphysik in der Seinsvergessenheit verharrt. Allein eben das Denken, das zu dieser Einsicht in das fragwürdige Wesen des Humanismus führt, hat uns zugleich dahin gebracht, das Wesen des Menschen anfänglicher zu denken. Im Hinblick auf diese wesentlichere Humanitas des homo humanus ergibt sich die Möglichkeit, dem Wort Humanismus einen geschichtlichen Sinn zurückzugeben, der älter ist als sein historisch gerechnet ältester. Dieses Zurückgeben ist nicht so zu verstehen, als sei das Wort « Humanismus » überhaupt ohne Sinn und ein blosser flatus vocis. Das « humanum » deutet im Wort auf die humanitas, das Wesen des Menschen. Der « -ismus » deutet darauf, dass das Wesen des Menschen als wesentlich genommen sein möchte. Diesen Sinn hat das Wort « Humanismus » als Wort. Ihm einen Sinn zurückgeben, kann nur heissen : den Sinn des Wortes wiederbestimmen. Das verlangt einmal, das Wesen des Menschen anfänglicher zu erfahren; zum anderen aber zu zeigen, inwiefern dieses Wesen in seiner Weise geschick-

« humanisme »; elle contient encore l'aveu qu'il a perdu son sens.

Il l'a perdu, parce qu'on a compris que l'essence de l'humanisme est métaphysique et cela veut dire à présent que non seulement la métaphysique ne pose pas la question portant sur la vérité de l'Être, mais encore empêche qu'elle soit posée, dans la mesure où la métaphysique persiste dans l'oubli de l'Être. Mais justement, la pensée qui conduit à pénétrer ainsi l'essence de l'humanisme qui fait question nous a, en même temps, amenés à penser plus originellement l'essence de l'homme. Au regard de cette plus essentielle humanitas de l'homo humanus s'offre la possibilité de rendre au mot humanisme un sens historique, plus ancien que le plus ancien dont on puisse faire état chronologiquement. Quand je parle de lui rendre un sens, il ne faut pas entendre par là que le mot « humanisme » soit en lui-même dépourvu de sens et un pur flatus vocis. L' « humanum », dans le mot, signale l'humanitas, l'essence de l'homme. L' « ...isme » signale que l'essence de l'homme devrait être prise comme essentielle. C'est ce sens que le mot « humanisme » a en tant que mot. Lui rendre un sens ne peut signifier que ceci : déterminer à nouveau le sens du mot. Cela exige d'abord qu'on expérimente plus originellement l'essence de l'homme, pour montrer ensuite dans quelle mesure cette essence, en sa manière, est selon sa desti-

lich wird. Das Wesen des Menschen beruht in der Ek-sistenz. Auf diese kommt es wesentlich, das heisst vom Sein selbst her, an, insofern das Sein den Menschen als den ek-sistierenden zur Wächterschaft für die Wahrheit des Seins in diese selbst ereignet. « Humanismus » bedeutet jetzt, falls wir uns entschliessen, das Wort festzuhalten : das Wesen des Menschen ist für die Wahrheit des Seins wesentlich, so zwar, dass es demzufolge gerade nicht auf den Menschen, lediglich als solchen, ankommt. Wir denken so einen « Humanismus » seltsamer Art. Das Wort ergibt einen Titel, der ein « lucus a non lucendo » ist.

Soll man diesen « Humanismus », der gegen allen bisherigen Humanismus spricht, aber gleichwohl sich ganz und gar nicht zum Fürsprecher des Inhumanen macht, noch « Humanismus » nennen ? Und das nur, um vielleicht durch die Teilnahme am Gebrauch des Titels in den herrschenden Strömungen, die im metaphysischen Subjektivismus ersticken und in der Seinsvergessenheit versunken sind, mitzuschwimmen ? Oder soll das Denken versuchen, durch einen offenen Widerstand gegen den « Humanismus » einen Anstoss zu wagen, der veranlassen könnte, erst einmal über die Humanitas des homo humanus und ihre Begründung stutzig zu werden ? So könnte doch, wenn nicht der weltgeschichtliche Augenblick schon selbst dahin drängt, eine Besinnung erwachen, die nicht nur auf den Menschen, sondern auf die « Natur » des

nation[17]. L'essence de l'homme repose dans l'ek-sistence. C'est l'ek-sistence qui importe essentiellement, c'est-à-dire à partir de l'Être lui-même, en tant que l'Être fait advenir l'homme comme celui qui ek-siste pour la vigilance de la vérité de l'Être, en vue de cette vérité même. « Humanisme » signifie, dès lors, si toutefois nous décidons de maintenir le mot : l'essence de l'homme est essentielle pour la vérité de l'Être, et l'est au point que désormais ce n'est précisément plus l'homme pris uniquement comme tel qui importe. Nous pensons ainsi un « humanisme » d'une étrange sorte. Le mot se révèle être un terme qui est un « lucus a non lucendo ».

Cet « humanisme » qui s'érige contre tout humanisme antérieur, sans pour autant se faire le moins du monde le porte-parole de l'inhumain, faut-il l'appeler encore « humanisme » ? Et cela pour le seul avantage peut-être, en participant à l'usage de cette étiquette, de nous engager à notre tour dans les courants dominants qui s'asphyxient dans le subjectivisme métaphysique et ont sombré dans l'oubli de l'Être. Ou bien la pensée ne doit-elle pas tenter, par une résistance ouverte à l' « humanisme », de risquer une impulsion qui pourrait amener à reconnaître enfin l'humanitas de l'homo humanus et ce qui la fonde ? Ainsi pourrait s'éveiller, si la conjoncture présente de l'histoire du monde n'y pousse déjà d'elle-même, une réflexion qui penserait non seulement l'homme, mais la « nature »

Menschen, nicht nur auf die Natur, sondern anfänglicher noch auf die Dimension denkt, in der das Wesen des Menschen, vom Sein selbst her bestimmt, heimisch ist. Sollten wir nicht eher für einige Zeit noch die unumgänglichen Missdeutungen ertragen und sie sich langsam abnutzen lassen, denen der Weg des Denkens im Element von Sein und Zeit bisher ausgesetzt ist? Diese Missdeutungen sind die natürliche Rückdeutung des Gelesenen oder nur Nachgemeinten in das, was man vor dem Lesen schon zu wissen meint. Sie zeigen alle den selben Bau und den selben Grund.

Weil gegen den « Humanismus » gesprochen wird, befürchtet man eine Verteidigung des Inhumanen und eine Verherrlichung der barbarischen Brutalität. Denn was ist « logischer » als dies, dass dem, der den Humanismus verneint, nur die Bejahung der Unmenschlichkeit bleibt?

Weil gegen die « Logik » gesprochen wird, meint man, die Forderung sei erhoben, dass der Strenge des Denkens abgesagt, statt ihrer die Willkür der Triebe und Gefühle zur Herrschaft gebracht und so der « Irrationalismus » als das Wahre ausgerufen werde. Denn was ist « logischer » als dies, dass, wer gegen das Logische spricht, das Alogische verteidigt?

Weil gegen die « Werte » gesprochen wird, entsetzt man sich über eine Philosophie, die es angeblich wagt, die höchsten Güter der Menschheit der Missachtung preiszugeben. Denn was ist « lo-

de l'homme, non seulement la nature, mais plus originellement encore la dimension dans laquelle l'essence de l'homme, déterminée à partir de l'Être lui-même, se sent chez elle. Mais peut-être vaut-il mieux supporter quelque temps encore et laisser s'épuiser d'elles-mêmes lentement les inévitables erreurs d'interprétation auxquelles est exposé le cheminement de la pensée dans l'élément de l'Être et le Temps. Ces erreurs d'interprétation sont le naturel reflet de ce qu'on a lu ou seulement pensé après coup, sur ce qu'avant la lecture on croyait déjà savoir. Elles révèlent toutes la même structure et le même fondement.

Parce que cette pensée est contre l' « humanisme », on craint une défense de l'in-humain et une glorification de la brutalité barbare. Car quoi de plus « logique » que ceci, à savoir qu'il ne reste à quiconque désavoue l'humanisme d'autre issue que d'avouer la barbarie ?

Parce que cette pensée est contre la « logique », on croit qu'abdiquant la rigueur de la pensée, elle exige qu'à sa place règne l'arbitraire des instincts et des sentiments et que soit ainsi proclamé comme le vrai l' « irrationalisme ». Car quoi de plus « logique » que ceci, à savoir que quiconque se prononce contre ce qui est logique défend ce qui est alogique ?

Parce que cette pensée est contre les « valeurs », on considère avec effroi une philosophie qui ose apparemment livrer au mépris les biens les plus hauts de l'humanité. Car quoi de plus « logique » que ceci, à savoir

gischer » als dies, dass ein Denken, das die Werte leugnet, notwendig alles für wertlos ausgeben muss ?

Weil gesagt wird, das Sein des Menschen bestehe im « In-der-Welt-sein », findet man, der Mensch sei zu einem bloss diesseitigen Wesen herabgesetzt, wodurch die Philosophie im Positivismus versinkt. Denn was ist « logischer » als dies, dass, wer die Weltlichkeit des Menschseins behauptet, nur das Diesseitige gelten lässt und das Jenseitige leugnet und aller « Transzendenz » absagt ?

Weil auf Nietzsches Wort vom « Tod Gottes » hingewiesen wird, erklärt man ein solches Tun für Atheismus. Denn was ist « logischer » als dies, dass derjenige, der den « Tod Gottes » erfahren hat, ein Gott-loser ist ?

Weil in all dem gennanten überall gegen das gesprochen wird, was der Menschheit als hoch und heilig gilt, lehrt diese Philosophie einen verantwortungslosen und zerstörerischen « Nihilismus ». Denn was ist « logischer » als dies, dass, wer so überall das wahrhaft Seiende leugnet, sich auf die Seite des Nichtseienden stellt und damit das blosse Nichts als den Sinn der Wirklichkeit predigt ?

Was geht hier vor ? Man hört sagen von « Humanismus », von « Logik », von den « Werten », von « Welt », von « Gott ». Man hört sagen von einem Gegensatz dazu. Man kennt und nimmt das Genannte als das Positive. Was in einer beim

qu'une pensée qui nie les valeurs doit nécessairement déclarer toute chose comme sans valeur ?

Parce qu'il est dit que l'être de l'homme consiste dans l' « être-au-monde », on trouve que l'homme est réduit à une pure essence de l'en-deçà, ce qui fait sombrer la philosophie dans le positivisme. Car quoi de plus « logique » que ceci, à savoir que quiconque affirme la mondanité de l'être-homme n'accorde de prix qu'à l'en-deçà, nie l'au-delà et refuse toute « Transcendance » ?

Parce qu'il est fait renvoi au mot de Nietzsche sur la « mort de Dieu », on tient pour athéisme une telle attitude. Car quoi de plus « logique » que ceci, à savoir que quiconque a expérimenté la « mort de Dieu » est un sans-Dieu ?

Parce qu'en tout ce qui vient d'être dit, la pensée partout est contre ce que l'humanité tient pour grand et sacré, cette philosophie enseigne un « nihilisme » irresponsable et destructeur. Car quoi de plus « logique » que ceci, à savoir que quiconque nie partout de la sorte l'étant véritable, se place du côté du non-étant et annonce comme sens de la réalité le pur néant ?

Que se produit-il en fait ? On entend parler d' « humanisme », de « logique », de « valeurs », de « monde », de « Dieu ». Puis d'une opposition à ces entités. On reconnaît en elles le positif et on les prend comme du positif. Ce qui est dit contre elles, du moins

Hörensagen jedoch nicht genau bedachten Weise gegen das Genannte spricht, nimmt man sogleich als dessen Verneinung und diese als das « Negative » im Sinne des Destruktiven. In « S. u. Z. » ist doch irgendwo ausdrücklich von « der phänomenologischen Destruktion » die Rede. Man meint mit Hilfe der viel berufenen Logik und Ratio, was nicht positiv ist, sei negativ und betreibe so die Verwerfung der Vernunft und verdiene deshalb, als eine Verworfenheit gebrandmarkt zu werden. Man ist so erfüllt von « Logik », dass alles sogleich als verwerfliches Gegenteil verrechnet wird, was der gewohnten Schläfrigkeit des Meinens zuwider ist. Man wirft alles, was nicht bei dem bekannten und beliebten Positiven stehen bleibt, in die zuvor angelegte Grube der blossen Negation, die alles verneint, dadurch im Nichts endet und so den Nihilismus vollendet. Man lässt auf diesem logischen Weg alles in einem Nihilismus untergehen, den man sich mit Hilfe der Logik erfunden hat.

Aber weist denn das « Gegen », das ein Denken gegenüber dem gewöhnlich Gemeinten vorbringt, notwendig in die blosse Negation und in das Negative ? Das geschieht nur dann und dann allerdings unvermeidlich und endgültig, das heisst ohne einen freien Ausblick auf anderes, wenn man das Gemeinte zuvor als « das Positive » ansetzt und von diesem her über den Bezirk der möglichen Entgegensetzungen zu ihm absolut und zugleich negativ entscheidet.In solchem Verfahren verbirgt sich die

tel qu'on le rapporte par ouï-dire et sans grand examen, on le prend aussitôt comme leur négation, voyant dans cette négation le « négatif » au sens de ce qui est destructeur. Il est pourtant expressément parlé quelque part dans *Sein und Zeit* de la « destruction phénoménologique ». Partant de cette logique qu'on ne cesse d'invoquer et de la ratio, on croit que ce qui n'est pas positif est négatif, aboutit à un rejet de la raison et mérite ainsi d'être stigmatisé comme un objet de réprobation. On est si imbu de « logique », que l'on range aussitôt dans les contraires à rejeter tout ce qui s'oppose à la somnolence résignée de l'opinion. Tout ce qui ne demeure pas fixé au positif connu et chéri, on le jette dans la fosse à l'avance préparée de la négation pure, celle qui récuse tout, pour finir dans le néant et accomplir ainsi le nihilisme. Sur ce chemin logique, on fait tout sombrer dans un nihilisme que l'on s'est constitué avec l'aide de la logique.

Mais l'opposition qu'une pensée dresse à l'encontre de l'opinion habituelle mène-t-elle nécessairement à la négation pure et au négatif ? Cela n'arrive en réalité (mais alors de façon inéluctable et définitive, c'est-à-dire sans aucune échappée libre sur autre chose), que si l'on pose au préalable que cette opinion est « le positif » et qu'à partir de ce positif, on décide absolument et négativement à la fois du champ des oppositions qu'elle pourra rencontrer. Une telle manière de faire dissimule le refus d'exposer à une réflexion

Weigerung, das vorgemeinte « Positive » samt der Position und der Opposition, in die es sich gerettet glaubt, einer Besinnung auszusetzen. Man erweckt mit der ständigen Berufung auf das Logische den Anschein, als lasse man sich gerade auf das Denken ein, während man dem Denken abgeschworen hat.

Dass der Gegensatz zum « Humanismus » keineswegs die Verteidigung des Inhumanen einschliesst, sondern andere Ausblicke öffnet, dürfte in einigem deutlicher geworden sein.

Die « Logik » versteht das Denken als das Vorstellen von Seiendem in seinem Sein, das sich das Vorstellen im Generellen des Begriffes zustellt. Aber wie steht es mit der Besinnung auf das Sein selbst und das heisst mit dem Denken, das die Wahrheit des Seins denkt? Dieses Denken trifft erst das anfängliche Wesen des λόγος, das bei Plato und Aristoteles, dem Begründer der « Logik », schon verschüttet und verloren gegangen ist. Gegen « die Logik » denken, das bedeutet nicht, für das Unlogische eine Lanze brechen, sondern heisst nur : dem logos und seinem in der Frühzeit des Denkens erschienenen Wesen nachdenken, heisst : sich erst einmal um die Vorbereitung eines solchen Nachdenkens bemühen. Was sollen uns alle noch so weitläufigen Systeme der Logik, wenn sie sich und sogar ohne zu wissen, was sie tun, zuvor der Aufgabe entschlagen, nach dem Wesen des λόγος auch nur erst zu fragen? Wollte man Einwände zurückgeben, was freilich unfruchtbar ist, dann könnte

ce qu'on a estimé au préalable « positif », ainsi que
la position et l'opposition en lesquelles il se croit
sauvé. Par une référence constante à ce qui est logique, on donne l'apparence de s'être engagé sur la
voie de la pensée, alors qu'en fait on l'a reniée.

Que l'opposition à l' « humanisme » n'implique aucunement la défense de l'inhumain, mais ouvre au contraire d'autres échappées, c'est ce qu'on pourrait établir
en peu de mots.

La « logique » comprend la pensée comme la représentation de l'étant dans son être, être que la représentation se donne dans la généralité du concept. Mais
qu'en est-il de la réflexion sur l'Être lui-même, c'est-à-
dire de la pensée qui pense la vérité de l'Être ? Cette
pensée est la première à atteindre l'essence originelle
du λόγος qui déjà, chez Platon et chez Aristote, le fon-
dateur de la « logique », se trouve ensevelie et a con-
sommé sa perte. Penser contre « la logique » ne signifie pas rompre une lance en faveur de l'illogique,
mais seulement : revenir dans sa réflexion au logos et
à son essence telle qu'elle apparaît au premier âge de
la pensée, c'est-à-dire se mettre enfin en peine de préparer une telle ré-flexion. A quoi bon tous les systèmes
si prolixes encore de la logique, s'ils commencent par
se soustraire à la tâche de poser d'abord et avant tout
la question portant sur l'essence du λόγος, et cela sans
même savoir ce qu'ils font. Si on voulait retourner les
objections, ce qui est assurément stérile, on pourrait

man mit grösserem Recht sagen : der Irrationalismus als Absage an die ratio herrscht unerkannt und unbestritten in der Verteidigung der « Logik », die glaubt, einer Besinnung auf den λόγος und auf das in ihm gründende Wesen der ratio ausweichen zu können.

Das Denken gegen « die Werte » behauptet nicht, dass alles, was man als « Werte » erklärt — die « Kultur », die « Kunst », die « Wissenschaft », die « Menschenwürde », « Welt » und « Gott » — wertlos sei. Vielmehr gilt es endlich einzusehen, dass eben durch die Kennzeichnung von etwas als « Wert » das so Gewertete seiner Würde beraubt wird. Das besagt : durch die Einschätzung von etwas als Wert wird das Gewertete nur als Gegenstand für die Schätzung des Menschen zugelassen. Aber das, was etwas in seinem Sein ist, erschöpft sich nicht in seiner Gegenständigkeit, vollends dann nicht, wenn die Gegenständlichkeit den Charakter des Wertes hat. Alles Werten ist, auch wo es positiv wertet, eine Subjektivierung. Es lässt das Seiende nicht : sein, sondern das Werten lässt das Seiende lediglich als das Objekt seines Tuns — gelten. Die absonderliche Bemühung, die Objektivität der Werte zu beweisen, weiss nicht, was sie tut. Wenn man vollends « Gott » als « den höchsten Wert » verkündet, so ist das eine Herabsetzung des Wesens Gottes. Das Denken in Werten ist hier und sonst die grösste Blasphemie, die sich dem Sein gegenüber denken lässt. Gegen die Werte

dire avec plus de raison encore : l'irrationalisme, en tant que refus de la ratio, règne en maître inconnu et incontesté, dans la défense de la « logique », puisque celle-ci croit pouvoir esquiver une méditation sur le λόγος et sur l'essence de la ratio qui en a en lui son fondement.

La pensée qui s'oppose aux « valeurs » ne prétend pas que tout ce qu'on déclare « valeurs » — la « culture », l' « art », la « science », la « dignité humaine », « le monde » et « Dieu » — soient sans valeur. Bien plutôt s'agit-il de reconnaître enfin que c'est justement le fait de caractériser quelque chose comme « valeur » qui dépouille de sa dignité ce qui est ainsi valorisé. Je veux dire que l'appréciation de quelque chose comme valeur ne donne cours à ce qui est valorisé que comme objet de l'évaluation de l'homme. Mais ce que quelque chose est dans son être ne s'épuise pas dans son objectité, encore moins si l'objectivité a le caractère de la valeur... Toute valorisation, là même où elle valorise positivement, est une subjectivation. Elle ne laisse pas l'étant : être, mais le fait uniquement, comme objet de son faire — valoir. L'étrange application à prouver l'objectivité des valeurs ne sait pas ce qu'elle fait. Proclamer « Dieu » « la plus haute Valeur », c'est dégrader l'essence de Dieu. La pensée sur le mode des valeurs est, ici comme ailleurs, le plus grand blasphème qui se puisse penser contre l'Être. Penser contre les valeurs ne signifie donc pas

denken, heisst daher nicht, für die Wertlosigkeit und Nichtigkeit des Seienden die Trommel rühren, sondern bedeutet : gegen die Subjektivierung des Seienden zum blossen Objekt die Lichtung der Wahrheit des Seins vor das Denken bringen.

Der Hinweis auf das « In-der-Welt-sein » als den Grundzug der Humanitas des homo humanus behauptet nicht, der Mensch sei lediglich ein « weltliches » Wesen im christlich verstandenen Sinne, also abgekehrt von Gott und gar losgebunden von der « Transzendenz ». Man meint mit diesem Wort das, was deutlicher das Transcendente genannt würde. Das Transcendente ist das übersinnlich Seiende. Dieses gilt als das höchste Seiende im Sinne der ersten Ursache von allem Seienden. Als diese erste Ursache wird Gott gedacht. « Welt » bedeutet jedoch in dem Namen « In-der-Welt-sein » keineswegs das irdisch Seiende im Unterschied zum Himmlischen, auch nicht das « Weltliche » im Unterschied zum « Geistlichen ». « Welt » bedeutet in jener Bestimmung überhaupt nicht ein Seiendes und keinen Bereich von Seiendem, sondern die Offenheit des Seins. Der Mensch ist und ist Mensch, insofern er der Ek-sistierende ist. Er steht in die Offenheit des Seins hinaus, als welche das Sein selber ist, das als der Wurf sich das Wesen des Menschen in « die Sorge » erworben hat. Dergestalt geworfen steht der Mensch « in » der Offenheit des Seins. « Welt » ist die Lichtung des Seins, in die der Mensch aus seinem geworfenen Wesen

proclamer à grand fracas l'absence de valeur et la nullité de l'étant, mais bien ceci : contre la subjectivation qui fait de l'étant un pur objet, porter devant la pensée l'éclaircie de la vérité de l'Être.

Le renvoi à l' « être-au-monde » comme au trait fondamental de l'humanitas de l'homo humanus ne prétend pas que l'homme soit uniquement une essence « mondaine » comprise au sens chrétien, c'est-à-dire détournée de Dieu et complètement détachée de la « Transcendance ». On entend sous ce mot ce qu'il serait plus clair d'appeler : le Transcendant. Le Transcendant est l'étant suprasensible. Il est donné comme l'étant le plus haut, au sens de la cause première de tout étant. Dieu est pensé comme cette cause première. Mais dans l'expression « être-au-monde », « monde » ne désigne nullement l'étant terrestre en opposition au céleste, pas plus que le « mondain » en opposition au « spirituel ». Dans cette détermination, « monde » ne désigne absolument pas un étant ni aucun domaine de l'étant, mais l'ouverture de l'Être. L'homme est, et il est homme, pour autant qu'il est l'ek-sistant. Il se tient en extase en direction de l'ouverture de l'Être, ouverture qui est l'Être lui-même, lequel, en tant que ce qui jette, s'est acquis l'essence de l'homme en la jetant dans « le souci ». Jeté de la sorte, l'homme se tient « dans » l'ouverture de l'Être. Le « monde » est l'éclaircie de l'Être dans [18] laquelle l'homme émerge du

131

her heraussteht. Das « In-der-Welt-sein » nennt das Wesen der Ek-sistenz im Hinblick auf die gelichtete Dimension, aus der das « Ek- » der Ek-sistenz west. Von der Ek-sistenz her gedacht, ist « Welt » in gewisser Weise gerade das Jenseitige innerhalb der und für die Eksistenz. Der Mensch ist nie zunächst diesseits der Welt Mensch als ein « Subjekt », sei dies als « Ich » oder als « Wir » gemeint. Er ist auch nie erst und nur Subjekt, das sich zwar immer zugleich auch auf Objekte bezieht, sodass sein Wesen in der Subjekt-Objekt-Beziehung läge. Vielmehr ist der Mensch zuvor in seinem Wesen eksistent in die Offenheit des Seins, welches Offene erst das « Zwischen » lichtet, innerhalb dessen eine « Beziehung » vom Subjekt zum Objekt « sein » kann.

Der Satz : das Wesen des Menschen beruht auf dem In-der-Welt-sein, enthält auch keine Entscheidung darüber, ob der Mensch im theologisch-metaphysischen Sinne ein nur diesseitiges oder ob er ein jenseitiges Wesen sei.

Mit der existenzialen Bestimmung des Wesens des Menschen ist deshalb noch nichts über das « Dasein Gottes » oder sein « Nicht-sein », ebensowenig über die Möglichkeit oder Unmöglichkeit von Göttern entschieden. Es ist daher nicht nur übereilt, sondern schon im Vorgehen irrig, wenn man behauptet, die Auslegung des Wesens des Menschen aus dem Bezug dieses Wesens zur Wahrheit des Seins sei Atheismus. Diese willkürliche Einordnung lässt es aber ausserdem noch an der

sein de son essence jetée. L' « être-au-monde » nomme l'essence de l'ek-sistence au regard de la dimension éclaircie, à partir de laquelle se déploie le « ek- » de l'ek-sistence. Pensé à partir de l'ek-sistence, d'une certaine manière le « monde » est précisément l'au-delà à l'intérieur de l'ek-sistence et pour elle. Jamais l'homme n'est d'abord homme en deçà du monde comme « sujet », qu'on entende ce mot comme « je » ou comme « nous ». Jamais non plus il n'est d'abord et seulement un sujet qui serait en même temps en relation constante avec des objets, de sorte que son essence résiderait dans la relation sujet-objet. L'homme est bien plutôt d'abord dans son essence, ek-sistant en direction de l'ouverture de l'Être, cet ouvert seul éclaircissant l' « entre-deux » à l'intérieur duquel une « relation » de sujet à objet peut « être ».

La proposition : l'essence de l'homme repose sur l'être-au-monde ne décide pas non plus si, au sens métaphysico-théologique, l'homme est un être du seul en-deçà ou s'il appartient à l'au-delà.

C'est pourquoi, avec la détermination existentiale de l'essence de l'homme, rien n'est encore décidé de l' « existence de Dieu » ou de son « non-être », pas plus que de la possibilité ou de l'impossibilité des dieux. Il est donc non seulement précipité, mais erroné dans sa démarche même, de prétendre que l'interprétation de l'essence de l'homme à partir de la relation de cette essence à la vérité de l'Être est un athéisme. Cette classification arbitraire dénote de surcroît un

Sorgfalt des Lesens fehlen. Man kümmert sich nicht darum, dass seit 1929 in der Schrift « Vom Wesen des Grundes » (S. 28, Anm. 1) folgendes steht : « Durch die ontologische Interpretation des Daseins als In-der-Welt-sein ist weder positiv noch negativ über ein mögliches Sein zu Gott entschieden. Wohl aber wird durch die Erhellung der Transzendenz allererst ein *zureichender Begriff des Daseins* gewonnen, mit Rücksicht auf welchen nunmehr gefragt werden kann, wie es mit dem Gottesverhältnis des Daseins ontologisch bestellt ist. » Wenn man nun auch noch diese Bemerkung in der üblichen Weise zu kurz denkt, wird man erklären : diese Philosophie entscheidet sich weder für noch gegen das Dasein Gottes. Sie bleibt in der Indifferenz stehen. Also ist ihr die religiöse Frage gleichgültig. Ein solcher Indifferentismus verfällt doch dem Nihilismus.

Aber lehrt die angeführte Bemerkung den Indifferentismus ? Weshalb sind denn einzelne Wörter und nicht beliebige in der Anmerkung gesperrt gedruckt ? Doch nur, um anzudeuten, dass das Denken, das aus der Frage nach der Wahrheit des Seins denkt, anfänglicher fragt, als die Metaphysik fragen kann. Erst aus der Wahrheit des Seins lässt sich das Wesen des Heiligen denken. Erst aus dem Wesen des Heiligen ist das Wesen von Gottheit zu denken. Erst im Lichte des Wesens von Gottheit kann gedacht und gesagt werden, was das Wort « Gott » nennen soll. Oder müssen wir nicht erst

manque d'attention dans la lecture. On ne se soucie pas du fait que, depuis 1929, est porté ce qui suit dans l'écrit *Vom Wesen des Grundes* (p. 28, note 1) : « L'interprétation ontologique de l'être-là comme être-au-monde ne décide ni positivement ni négativement d'un possible être pour Dieu. Mais sans doute l'éclairement de la Transcendance permet-il pour la première fois un *concept suffisant de l'être-là,* en fonction duquel on peut désormais se demander ce qu'il en est sur le plan ontologique du rapport de l'être-là à Dieu. » Si maintenant l'on pense à courte vue, comme d'habitude, cette remarque même, on déclarera : cette philosophie ne se décide ni pour ni contre l'existence de Dieu. Elle reste cantonnée dans l'indifférence. La question religieuse n'a pas d'intérêt pour elle. Or un tel indifférentisme est la proie du nihilisme.

Mais le passage cité enseigne-t-il l'indifférentisme ? Pourquoi dès lors certains mots déterminés et ceux-là seuls sont-ils imprimés en italique dans la note ? Uniquement pour indiquer que la pensée qui pense à partir de la question portant sur la vérité de l'Être questionne plus originellement que ne peut le faire la métaphysique. Ce n'est qu'à partir de la vérité de l'Être que se laisse penser l'essence du sacré. Ce n'est qu'à partir de l'essence du sacré qu'est à penser l'essence de la divinité. Ce n'est que dans la lumière de l'essence de la divinité que peut être pensé et dit ce que doit nommer le mot « Dieu ». Ne nous faut-il

diese Worte alle sorgsam verstehen und hören
können, wenn wir als Menschen, das heisst als
existente Wesen, einen Bezug des Gottes zum
Menschen sollen erfahren dürfen? Wie soll denn
der Mensch der gegenwärtigen Weltgeschichte
auch nur ernst und streng fragen können, ob der
Gott sich nahe oder entziehe, wenn der Mensch es
unterlässt, allerest in die Dimension hineinzu-
denken, in der jene Frage allein gefragt werden
kann? Das aber ist die Dimension des Heiligen, die
sogar schon als Dimension verschlossen bleibt,
wenn nicht das Offene des Seins gelichtet und in
seiner Lichtung dem Menschen nahe ist. Vielleicht
besteht das Auszeichnende dieses Weltalters in der
Verschlossenheit der Dimension des Heilen. Vielleicht ist dies das einzige Unheil.

Doch mit diesem Hinweis möchte sich das Denken, das in die Wahrheit des Seins als das Zu-
denkende vorweist, keineswegs für den Theismus
entschieden haben. Theistisch kann es so wenig sein
wie atheistisch. Dies aber nicht auf Grund einer
gleichgültigen Haltung, sondern aus der Achtung
der Grenzen, die dem Denken als Denken gesetzt
sind und zwar durch das, was sich ihm als das Zu-
denkende gibt, durch die Wahrheit des Seins. Insofern das Denken sich in seine Aufgabe bescheidet,
gibt es im Augenblick des jetzigen Weltgeschickes
dem Menschen eine Weisung in die anfängliche
Dimension seines geschichtlichen Aufenthaltes.
Indem das Denken dergestalt die Wahrheit des

pas d'abord comprendre avec soin et pouvoir entendre tous ces mots, si nous voulons être en mesure en tant qu'hommes, c'est-à-dire en tant qu'êtres ek-sistants, d'expérimenter une relation du dieu à l'homme ? Comment l'homme de l'histoire présente du monde peut-il seulement se demander avec sérieux et rigueur si le dieu s'approche ou s'il se retire, quand cet homme omet d'engager d'abord sa pensée dans la dimension en laquelle seule cette question peut être posée ? Cette dimension est celle du sacré, qui déjà même comme dimension reste fermée, tant que l'ouvert de l'Être n'est pas éclairci et n'est pas proche de l'homme dans son éclaircie. Peut-être le trait dominant de cet âge du monde consiste-t-il dans la fermeture de la dimension de l'indemne. Peut-être est-ce là l'unique dam.

Par cette indication, toutefois, la pensée qui signale la vérité de l'Être comme ce-qui-est-à-penser, ne voudrait aucunement s'être décidée en faveur du théisme. Elle ne peut pas plus être théiste qu'athée. Et cela, non en raison d'une attitude d'indifférence, mais parce qu'elle tient compte des limites qui sont fixées à la pensée en tant que pensée, et le sont par cela même qui se donne à elle comme ce-qui-est-à-penser : la vérité de l'Être. Dans la mesure où la pensée s'en tient à sa mission, elle donne à l'homme, en ce moment où nous sommes du destin mondial, une as-signation à la dimension originelle de son séjour historique. En disant de la sorte la vérité de l'Être, la

Seins sagt, hat es sich dem anvertraut, was wesentlicher ist als alle Werte und jegliches Seiende. Das
Denken überwindet die Metaphysik nicht, indem
es sie, noch höher hinaufsteigend, übersteigt und
irgendwohin aufhebt, sondern indem es zurück-
steigt in die Nähe des Nächsten. Der Abstieg ist,
zumal dort, wo der Mensch sich in die Subjektivität
verstiegen hat, schwieriger und gefährlicher als der
Aufstieg. Der Abstieg führt in die Armut der Ek-
sistenz des homo humanus. In der Ek-sistenz wird
der Bezirk des homo animalis der Metaphysik ver-
lassen. Die Herrschaft dieses Bezirkes ist der mittel-
bare und weitzurückreichende Grund für die Ver-
blendung und Willkür dessen, was man als Biologismus bezeichnet, aber auch dessen, was man
unter dem Titel Pragmatismus kennt. Die Wahrheit
des Seins denken, heisst zugleich : die humanitas
des homo humanus denken. Es gilt die Humanitas,
zu diensten der Wahrheit des Seins, aber ohne den
Humanismus im metaphysischen Sinne.

Wenn aber die Humanitas so wesenhaft für das
Denken des Seins im Blick steht, muss dann die
« Ontologie » nicht ergänzt werden durch die
« Ethik » ? Ist dann nicht Ihr Bemühen ganz
wesentlich, das Sie in dem Satz aussprechen : « Ce
que je cherche à faire, depuis longtemps déjà, c'est
préciser le rapport de l'ontologie avec une éthique
possible » ?

Bald nachdem « S. u. Z. » erschienen war, frug
mich ein junger Freund : « Wann schreiben Sie eine

pensée s'est remise à ce qui est plus essentiel que toutes les valeurs et que tout étant. La pensée ne dépasse pas la métaphysique en la surmontant, c'est-à-dire en montant plus haut encore pour l'accomplir on ne sait où, mais en redescendant jusqu'à la proximité du plus proche. Là surtout où l'homme s'est égaré dans son ascension vers la subjectivité, la descente est plus difficile et plus dangereuse que la montée. La descente conduit à la pauvreté de l'ek-sistence de l'homo humanus. Dans l'ek-sistence, la sphère de l'homo animalis de la métaphysique est abandonnée. La suprématie de cette sphère est le fondement lointain et indirect de l'aveuglement et de l'arbitraire de ce qu'on caractérise comme biologisme, mais aussi de ce qu'on connaît sous l'étiquette de pragmatisme. Penser la vérité de l'Être, c'est en même temps penser l'humanitas de l'homo humanus. Ce qui compte, c'est l'humanitas au service de la vérité de l'Être, mais sans l'humanisme au sens métaphysique.

Mais si l'humanitas se révèle à ce point essentielle pour la pensée de l'Être, l' « ontologie » ne doit-elle pas être complétée par l' « éthique » ? L'effort que vous exprimez dans cette phrase n'est-il pas, dès lors, tout à fait essentiel : « *Ce que je cherche à faire, depuis longtemps déjà, c'est préciser le rapport d'une onto-logie avec une éthique possible* » ?

Peu après la parution de *Sein und Zeit,* un jeune ami me demanda : « Quand écrirez-vous une éthi-

Ethik? » Wo das Wesen des Menschen so wesentlich, nämlich einzig aus der Frage nach der Wahrheit des Seins gedacht wird, wobei aber der Mensch dennoch nicht zum Zentrum des Seienden erhoben ist, muss das Verlangen nach einer verbindlichen Anweisung erwachen und nach Regeln, die sagen, wie der aus der Eksistenz zum Sein erfahrene Mensch geschicklich leben soll. Der Wunsch nach einer Ethik drängt umso eifriger nach Erfüllung, als die offenkundige Ratlosigkeit des Menschen nicht weniger als die verhehlte sich ins Unmessbare steigert. Der Bindung durch die Ethik muss alle Sorge gewidmet sein, wo der in das Massenwesen ausgelieferte Mensch der Technik nur durch eine der Technik entsprechende Sammlung und Ordnung seines Planens und Handelns im ganzen noch zu einer verlässlichen Beständigkeit gebracht werden kann.

Wer dürfte diese Notlage übersehen? Sollen wir nicht die bestehenden Bindungen, auch wenn sie das Menschenwesen noch so notdürftig und im bloss Heutigen zusammenhalten, schonen und sichern? Gewiss. Aber entbindet diese Not je das Denken davon, dass es dessen gedenkt, was zumal das Zu-denkende bleibt und als das Sein allem Seienden zuvor die Gewähr und Wahrheit? Kann sich das Denken noch fernerhin dessen entschlagen, das Sein zu denken, nachdem dieses in langer Vergessenheit verborgen gelegen und zugleich im jetzigen Weltaugenblick sich durch die Erschütterung alles Seienden ankündigt?

que ? » Là où l'essence de l'homme est pensée de façon aussi essentielle, c'est-à-dire à partir uniquement de la question portant sur la vérité de l'Être, mais où pourtant l'homme n'est pas érigé comme centre de l'étant, il faut que s'éveille l'exigence d'une intimation qui le lie, et de règles disant comment l'homme, expérimenté à partir de l'eksistence à l'Être, doit vivre conformément à son destin. Le vœu d'une éthique appelle d'autant plus impérieusement sa réalisation que le désarroi évident de l'homme, non moins que son désarroi caché, s'accroissent au-delà de toute mesure. A cet établissement du lien éthique nous devons donner tous nos soins, en un temps où il n'est possible à l'homme de la technique, voué à l'être-collectif, d'atteindre encore à une stabilité assurée, qu'en regroupant et ordonnant l'ensemble de ses plans et de son agir conformément à cette technique.

Comment ignorer cette détresse ? Ne devons-nous pas épargner et consolider les liens existants, même s'ils n'assurent que si pauvrement encore et dans l'immédiat seulement la cohésion de l'essence humaine ? Certainement. Mais cette pénurie dispense-t-elle pour autant la pensée de se remémorer ce qui principalement reste à-penser et qui est, en tant qu'Être et avant même tout étant, la garantie et la vérité ? La pensée peut-elle s'abstenir encore de penser l'Être, quand celui-ci, après être resté celé dans un long oubli, s'annonce au moment présent du monde par l'ébranlement de tout étant ?

Bevor wir versuchen, die Beziehung zwischen « der Ontologie » und « der Ethik » genauer zu bestimmen, müssen wir fragen, was « die Ontologie » und « die Ethik » selbst sind. Es wird nötig, zu bedenken, ob das, was in den beiden Titeln genannt sein kann, noch dem gemäss und nahe bleibt, was dem Denken aufgegeben ist, das als Denken allem zuvor die Wahrheit des Seins zu denken hat.

Sollten freilich sowohl « die Ontologie » als auch die « Ethik » samt allem Denken aus Disciplinen hinfällig und dadurch unser Denken disziplinierter werden, wie steht es dann mit der Frage nach der Beziehung zwischen den beiden genannten Disciplinen der Philosophie ?

Die « Ethik » kommt mit der « Logik » und der « Physik » zum ersten Mal in der Schule Platons auf. Diese Disciplinen entstehen zu der Zeit, die das Denken zur « Philosophie », die Philosophie aber zur ἐπιστήμη (Wissenschaft) und die Wissenschaft selbst zu einer Sache der Schule und des Schulbetriebs werden lässt. Im Durchgang durch die so verstandene Philosophie entsteht die Wissenschaft, vergeht das Denken. Die Denker vor dieser Zeit kennen weder eine « Logik », noch eine « Ethik », noch die « Physik ». Dennoch ist ihr Denken weder unlogisch, noch unmoralisch. Die φύσις aber dachten sie in einer Tiefe und Weite, die alle spätere « Physik » nie mehr zu erreichen vermochte. Die Tragödien des Sophokles bergen, falls überhaupt ein

Avant d'essayer de déterminer plus exactement la relation entre « l'ontologie » et « l'éthique », il faut nous demander ce que sont elles-mêmes « l'ontologie » et « l'éthique ». Il devient nécessaire de penser si ce que peuvent désigner ces deux termes reste d'accord et en contact avec ce qui est remis à la pensée qui a, comme pensée, à penser avant tout la vérité de l'Être.

Mais que « l'ontologie » aussi bien que l' « éthique », et avec elles toute pensée issue de disciplines, se révèlent caduques, et que par là notre pensée se fasse plus disciplinée, qu'en serait-il alors de la question de la relation entre ces deux disciplines de la philosophie ?

L' « éthique » apparaît pour la première fois avec la « logique » et la « physique » dans l'école de Platon. Ces disciplines prennent naissance à l'époque où la pensée se fait « philosophie », la philosophie, ἐπιστήμη (science) et la science elle-même, affaire d'école et d'exercice scolaire. Le processus ouvert par la philosophie ainsi comprise donne naissance à la science, il est la ruine de la pensée. Avant cette époque, les penseurs ne connaissaient ni « logique », ni « éthique », ni physique ». Leur pensée n'en était pour autant ni illogique, ni immorale. Mais ils pensaient la φύσις selon une profondeur et avec une amplitude dont aucune « physique » postérieure n'a jamais plus été capable. Les tragédies de Sophocle, si l'on peut faire ce rapprochement,

solcher Vergleich erlaubt ist, in ihrem Sagen das
ἦθος anfänglicher als die Vorlesungen des Aristoteles über « Ethik ». Ein Spruch des Heraklit, der nur
aus drei Wörtern besteht, sagt so Einfaches, dass
aus ihm das Wesen des Ethos unmittelbar ans Licht
kommt.

Der Spruch des Heraklit lautet (Frgm. 119) :
ἦθος ἀνθρώπῳ δαίμων. Man pflegt allgemein zu
übersetzen : « Seine Eigenart ist dem Menschen sein
Dämon. » Diese Uebersetzung denkt modern, aber
nicht griechisch. ἦθος bedeutet Aufenthalt, Ort des
Wohnens. Das Wort nennt den offenen Bezirk,
worin der Mensch wohnt. Das Offene seines Aufenthaltes lässt das erscheinen, was auf das Wesen
des Menschen zukommt und also ankommend in
seiner Nähe sich aufhält. Der Aufenthalt des Menschen enthält und bewahrt die Ankunft dessen,
dem der Mensch in seinem Wesen gehört. Das ist
nach dem Wort des Heraklit δαίμων, der Gott. Der
Spruch sagt : der Mensch wohnt, insofern er
Mensch ist, in der Nähe des Gottes. Mit diesem
Spruch des Heraklit stimmt eine Geschichte zusammen, die Aristoteles (de part. anim. A 5, 645 a 17)
berichtet. Sie lautet :

Ἡράκλειτος λέγεται πρὸς τοὺς ξένους εἰπεῖν τοὺς
βουλομένους ἐντυχεῖν αὐτῷ οἳ ἐπειδὴ προσιόντες
εἶδον αὐτὸν θερόμενον πρὸς τῷ ἰπνῷ ἔστησαν, ἐκέλευε γὰρ αὐτοὺς εἰσιέναι θαρροῦντας· εἶναι γὰρ καὶ
ἐνταῦθα θεούς.

« Von Heraklit erzählt man ein Wort, das er zu

abritent plus originellement l'ἦθος dans leur dire, que les leçons d'Aristote sur l' « Éthique ». Une sentence d'Héraclite, qui tient en trois mots, exprime quelque chose de si simple que par elle l'essence de l'éthos s'éclaire immédiatement.

Cette sentence est la suivante (fragment 119) : ἦθος ἀνθρώπῳ δαίμων. Ce qu'on traduit d'ordinaire : « le caractère propre d'un homme est son démon ». Cette traduction révèle une façon de penser moderne, non point grecque. ἦθος signifie séjour, lieu d'habitation. Ce mot désigne la région ouverte où l'homme habite. L'ouvert de son séjour fait apparaître ce qui s'avance vers l'essence de l'homme et dans cet avènement séjourne en sa proximité. Le séjour de l'homme contient et garde la venue de ce à quoi l'homme appartient dans son essence. C'est, suivant le mot d'Héraclite δαίμων, le dieu. La sentence dit : l'homme habite, pour autant qu'il est homme, dans la proximité du dieu. L'histoire que voici, rapportée par Aristote (*Parties des Animaux,* A 5, 645 a 17), va dans le même sens.

Ἡράκλειτος λέγεται πρὸς τοὺ-ξένους εἰπεῖν τοὺς βουλομένους ἐντυχεῖν αὐτῷ οἳ ἐπειδὴ προσιόντες εἶδον αὐτὸν θερόμενον πρὸς τῷ ἰπνῷ ἔστησαν, ἐκέλευε γὰρ αὐτοὺς εἰσιέναι θαρροῦντας· εἶναι γὰρ καὶ ἐνταῦθα θεούς.

« D'Héraclite, on rapporte un mot qu'il aurait dit

den Fremden gesagt habe, die zu ihm vorgelangen wollten. Herzukommend sahen sie ihn, wie er sich an einem Backofen wärmte. Sie blieben überrascht stehen und dies vor allem deshalb, weil er ihnen, den Zaudernden, auch noch Mut zusprach und sie hereinkommen hiess mit den Worten : « Auch hier nämlich wesen Götter an. »

Die Erzählung spricht zwar für sich, doch sei einiges hervorgehoben.

Die Menge der fremden Besucher ist in ihrer neugierigen Zudringlichkeit zum Denker beim ersten Anblick seines Aufenthaltes enttäuscht und ratlos. Sie glaubt, den Denker in Verhältnissen antreffen zu müssen, die gegen das übliche Dahin-leben der Menschen überall die Züge der Aus-nahme und des Seltenen und darum Aufregenden tragen. Die Menge hofft, durch ihren Besuch bei dem Denker Sachen zu finden, die — wenigstens für eine gewisse Zeit — den Stoff zu einem unter-haltsamen Gerede liefern. Die Fremden, die den Denker besuchen wollen, erwarten, ihn vielleicht gerade in dem Augenblick zu sehen, da er, in den Tiefsinn versunken, denkt. Die Besucher wollen dies « erleben », nicht etwa um vom Denken be-troffen zu werden, sondern lediglich deshalb, damit sie sagen können, einen gesehen und gehört zu haben, von dem man wiederum nur sagt, dass er ein Denker sei.

Statt dessen finden die Neugierigen Heraklit bei einem Backofen. Das ist ein recht alltäglicher und

à des étrangers désireux de parvenir jusqu'à lui. S'approchant, ils le virent qui se chauffait à un four de boulanger. Ils s'arrêtèrent, interdits, et cela d'autant plus que, les voyant hésiter, Héraclite leur rend courage et les invite à entrer par ces mots : « Ici aussi les dieux sont présents. »

L'anecdote parle d'elle-même. Arrêtons-nous-y pourtant quelque peu.

Dans son mouvement de curiosité importune, la masse des visiteurs étrangers est déçue et décontenancée au premier regard jeté sur le séjour du penseur. Elle croit devoir trouver celui-ci dans des circonstances qui, s'opposant au cours habituel de la vie des hommes, portent la marque de l'exception, du rare et, par suite, de l'excitant. De cette visite, elle espère tirer, au moins pour un temps, la matière d'un divertissant bavardage. Les étrangers qui veulent rendre visite au penseur s'attendent à le surprendre au moment précis peut-être où, plongé dans une méditation profonde, il pense. Les visiteurs veulent vivre ce moment, non pour avoir été si peu que ce soit touchés par la pensée, mais uniquement afin de pouvoir dire qu'ils ont vu et entendu quelqu'un, dont on ne dira au surplus qu'une chose, c'est qu'il est un penseur.

Au lieu de cela, les curieux trouvent Héraclite auprès d'un four. Voilà un endroit bien ordinaire et sans

unscheinbarer Ort. Allerdings wird hier das Brot gebacken. Aber Heraklit ist am Backofen nicht einmal mit dem Backen beschäftigt. Er hält sich hier nur auf, um sich zu wärmen. So verrät er an diesem ohnehin alltäglichen Ort die ganze Dürftigkeit seines Lebens. Der Anblick eines frierenden Denkers bietet wenig des Interessanten. Die Neugierigen verlieren denn auch bei diesem enttäuschenden Anblick sogleich die Lust, noch näher zu treten. Was sollen sie hier? Dieses alltägliche und reizlose Vorkommnis, dass einer friert und am Ofen steht, kann jedermann jederzeit bei sich zu Hause finden. Wozu sollen sie also einen Denker aufsuchen? Die Besucher schicken sich an, wieder wegzugehen. Heraklit liest die enttäuschte Neugier in ihren Gesichtern. Er erkennt, dass bei der Menge schon das Ausbleiben einer erwarteten Sensation hinreicht, um die soeben Angekommenen sogleich wieder zur Umkehr zu drängen. Deshalb spricht er ihnen Mut zu. Er fordert sie eigens auf, doch einzutreten, mit den Worten : εἶναι γὰρ καὶ ἐνταῦθα θεούς « Götter wesen auch hier an. »

Dieses Wort stellt den Aufenthalt (ἦθος) des Denkers und sein Tun in ein anderes Licht. Ob die Besucher sogleich und ob sie dieses Wort überhaupt verstanden und dann alles in diesem anderen Licht anders gesehen haben, sagt die Erzählung nicht. Aber dass diese Geschichte erzählt worden und noch uns Heutigen überliefert ist, beruht darauf, dass das, was sie berichtet, aus der Atmosphäre

apparence. C'est là en effet qu'on cuit le pain. Mais Héraclite n'est pas même auprès du four pour cuire du pain. Il n'y séjourne que pour se chauffer. Ainsi trahit-il en cet endroit très ordinaire toute l'indigence de sa vie. Le spectacle d'un penseur qui a froid offre peu d'intérêt et les curieux déçus y perdent aussitôt l'envie de s'approcher davantage. Que feraient-ils en un tel endroit ? Cet événement banal et sans relief de quelqu'un qui a froid et se tient auprès du four, chacun peut en être à tout moment témoin chez soi, dans sa propre maison. Pourquoi, dès lors, aller chercher un penseur ? Les visiteurs se disposent à repartir. Héraclite lit sur leurs visages la curiosité déçue. Il sait que priver la masse d'une sensation attendue suffit pour faire rebrousser chemin à ceux qui sont à peine arrivés. Aussi leur rend-il courage et les invite-t-il expressément à entrer malgré tout, par ces mots : εἶναι γὰρ καὶ ἐνταῦθα θεούς « ici aussi les dieux sont présents ».

Cette parole situe le séjour (ἦθος) du penseur et son faire dans une autre lumière. Quant à savoir si les visiteurs l'ont comprise sur-le-champ, ou même s'ils l'ont seulement comprise, voyant dès lors différemment toutes choses à cette autre lumière, l'anecdote ne le dit pas. Mais que cette histoire ait été racontée et nous soit encore transmise à nous, hommes d'aujourd'hui, tient au fait que ce qu'elle rapporte

dieses Denkers stammt und sie kennzeichnet. καὶ ἐνταῦθα « auch hier », am Backofen, an diesem gewöhnlichen Ort, wo jeglich Ding und jeder Umstand, jedes Tun und Denken vertraut und geläufig, das heisst geheuer ist, « auch da nämlich » im Umkreis des Geheuren εἶναι θεούς ist es so, « dass Götter anwesen ».

ἦθος ἀνθρώπῳ δαίμων, sagt Heraklit selbst : « Der (geheure) Aufenthalt ist dem Menschen das Offene für die Anwesung des Gottes (des Ungeheuren). »

Soll nun gemäss der Grundbedeutung des Wortes ἦθος der Name Ethik dies sagen, dass sie den Aufenthalt des Menschen bedenkt, dann ist dasjenige Denken, das die Wahrheit des Seins als das anfängliche Element des Menschen als eines eksistierenden denkt, in sich schon die ursprüngliche Ethik. Dieses Denken ist aber dann auch nich erst Ethik, weil es Ontologie ist. Denn die Ontologie denkt immer nur das Seiende (ὄν) in seinem Sein. Solange jedoch die Wahrheit des Seins nicht gedacht ist, bleibt alle Ontologie ohne ihr Fundament. Deshalb bezeichnete sich das Denken, das mit « S. u. Z. » in die Wahrheit des Seins vorzudenken versuchte, als Fundamentalontologie. Diese trachtet in den Wesensgrund zurück, aus dem das Denken der Wahrheit des Seins herkommt. Schon durch den Ansatz des anderen Fragens ist dieses Denken aus der « Ontologie » der Metaphysik (auch derjenigen Kants) herausgenommen. « Die

relève de l'ambiance propre de ce penseur et la caractérise. καὶ ἐνταῦθα, « ici aussi », près du four, en
cet endroit sans prétention, où chaque chose et chaque
situation, chaque action et chaque pensée sont fami-
lières et courantes, c'est-à-dire accoutumées, « en cet
endroit même », en ce monde de l'accoutumé, εἶναί
θεούς, c'est bien là « que les dieux sont présents ».

ἦθος ἀνθρώπῳ δαίμων dit Héraclite lui-même :
« le séjour (acccoutumé) est pour l'homme le domaine
ouvert à la présence du dieu (de l'in-solite). »

Si donc, conformément au sens fondamental du
mot ἦθος, le terme d'éthique doit indiquer que cette
discipline pense le séjour de l'homme, on peut dire
que cette pensée qui pense la vérité de l'Être comme
l'élément originel de l'homme en tant qu'eksistant
est déjà en elle-même l'éthique originelle. Cette pensée
toutefois n'est pas seulement éthique du fait qu'elle
est ontologie. Car l'ontologie ne pose jamais que
l'étant (ὄν) dans son être. Or, aussi longtemps que la
vérité de l'Être n'est pas pensée, toute ontologie reste
sans son fondement. C'est pourquoi la pensée qui
tentait avec *Sein und Zeit* de penser en direction de
la vérité de l'Être s'est désignée comme ontologie fondamentale. Celle-ci remonte au fondement essentiel
d'où provient la pensée de la vérité de l'Être. Par l'introduction d'une autre question, cette pensée échappe
déjà à l' « ontologie » de la métaphysique (y compris
celle de Kant). Mais « l'ontologie », qu'elle soit trans-

Ontologie » aber, sei sie transcendentale oder vor-
kritische, unterliegt der Kritik nicht deshalb, weil
sie das Sein des Seienden denkt und dabei das Sein
in den Begriff zwängt, sondern weil sie die Wahrheit des Seins nicht denkt und so verkennt, dass es
ein Denken gibt, das strenger ist als das begriffliche.
Das Denken, das in die Wahrheit des Seins vorzudenken versucht, bringt in der Not des ersten
Durchkommens nur ein Geringes der ganz anderen
Dimension zur Sprache. Diese verfälscht sich noch
selbst, insofern es ihr noch nicht glückt, zwar die
wesentliche Hilfe des phänomenologischen Sehens
festzuhalten und gleichwohl die ungemässe Absicht
auf « Wissenschaft » und « Forschung » fallen zu
lassen. Um jedoch diesen Versuch des Denkens
innerhalb der bestehenden Philosophie kenntlich
und zugleich verständlich zu machen, konnte zunächst nur aus dem Horizont des Bestehenden und
aus dem Gebrauch seiner ihm geläufigen Titel gesprochen werden.

Inzwischen habe ich einsehen gelernt, dass eben
diese Titel unmittelbar und unvermeidlich in die
Irre führen mussten. Denn die Titel und die ihnen
zugeordnete Begriffssprache wurden von den Le-
sern nicht aus der erst zu denkenden Sache wieder-
gedacht, sondern diese Sache wurde aus den in ihrer
gewohnten Bedeutung festgehaltenen Titeln vorgestellt. Das Denken, das nach der Wahrheit des
Seins fragt und dabei den Wesensaufenthalt des
Menschen vom Sein her und auf dieses hin be-

cendantale ou précritique, ne tombe pas sous le coup
de la critique parce qu'elle pense l'être de l'étant et
par là même réduit l'être au concept, mais parce qu'elle
ne pense pas la vérité de l'Être et méconnaît ainsi qu'il
est une pensée plus rigoureuse que la pensée concep-
tuelle. La pensée qui tente de penser en direction de la
vérité de l'Être ne porte au langage, dans la difficulté
de sa première approche, qu'une part infime de cette
tout autre dimension. Le langage lui-même s'altère,
tant qu'il ne parvient pas à maintenir l'aide essentielle
de la vue phénoménologique, tout en refusant une
prétention excessive à la « science » et à la « recherche ». Toutefois, pour rendre discernable et en même
temps compréhensible cette tentative de la pensée
à l'intérieur de la philosophie subsistante, il fallait
d'abord parler à partir de l'horizon de cette philosophie
et se servir des termes qui lui sont familiers.

Entre-temps, l'expérience m'a appris que ces termes
mêmes devaient immédiatement et inévitablement in-
duire en erreur. Car ces termes et la langue concep-
tuelle qui leur est adaptée n'étaient pas repensés par
les lecteurs à partir de la réalité qui est d'abord à
penser, mais cette réalité même était représentée à
partir de ces termes maintenus dans leur signification
habituelle. La pensée qui pose la question de la vérité
de l'Être, et par là même détermine le séjour essentiel
de l'homme à partir de l'Être et vers lui, n'est ni

stimmt, ist weder Ethik noch Ontologie. Darum hat die Frage nach der Beziehung beider zueinander in diesem Bereich keinen Boden mehr. Dennoch behält Ihre Frage, ursprünglicher gedacht, einen Sinn und ein wesentliches Gewicht.

Es muss nämlich gefragt werden : wenn das Denken, die Wahrheit des Seins bedenkend, das Wesen der Humanitas als Ek-sistenz aus deren Zugehörigkeit zum Sein bestimmt, bleibt dann dieses Denken nur ein theoretisches Vortellen vom Sein und vom Menschen, oder lassen sich aus solcher Erkenntnis zugleich Anweisungen für das tätige Leben entnehmen und diesem an die Hand geben ?

Die Antwort lautet : dieses Denken ist weder theoretisch noch praktisch. Es ereignet sich vor dieser Unterscheidung. Dieses Denken ist, insofern es ist, das Andenken an das Sein und nichts ausserdem. Zum Sein gehörig, weil vom Sein in die Wahrnis seiner Wahrheit geworfen und für sie in den Anspruch genommen, denkt es das Sein. Solches Denken hat kein Ergebnis. Es hat keine Wirkung. Es genügt seinem Wesen, indem es ist. Aber es ist, indem es seine Sache sagt. Der Sache des Denkens gehört je geschichtlich nur eine, die ihrer Sachheit gemässe Sage. Deren sachhaltige Verbindlichkeit ist wesentlich höher als die Gültigkeit der Wissenschaften, weil sie freier ist. Denn sie lässt das Sein — sein.

Das Denken baut am Haus des Seins, als welches

éthique ni ontologie. C'est pourquoi la question de la relation entre ces deux disciplines est, dans ce domaine, désormais sans fondement. Toutefois votre question, pensée plus originellement, conserve un sens et un poids essentiels.

Il faut en effet nous demander : cette pensée qui, pensant la vérité de l'Être, détermine l'essence de l'humanitas comme ek-sistence à partir de l'appartenance de l'ek-sistence à l'Être, reste-t-elle seulement une représentation théorique de l'Être et de l'homme, ou peut-on tirer en même temps d'une telle connaissance des indications valables pour la vie pratique et utilisables par elle ?

La réponse est celle-ci : cette pensée n'est ni théorique ni pratique. Elle se produit avant cette distinction. Pour autant qu'elle est, cette pensée est la pensée de l'Être dans l'Être [19] et rien d'autre. Appartenant à l'Être, parce que jetée par l'Être en vue de la garde véridique de sa vérité [20] et revendiquée par l'Être pour cette garde, elle pense l'Être. Une telle pensée n'a pas de résultat. Elle ne produit aucun effet. Elle satisfait à son essence du moment qu'elle est. Mais elle est, en tant qu'elle dit ce qu'elle a à dire. A chaque moment historique, il n'y a qu'un seul énoncé de ce que la pensée a à dire, qui soit selon la nature même de ce qu'elle a à dire. Cette obligeance qui lie cet énoncé à ce qu'il a à dire est essentiellement plus éminente que la validité des sciences, parce qu'elle est plus libre. Car elle laisse l'Être — être.

La pensée travaille à construire la maison de l'Être,

die Fuge des Seins je geschickhaft das Wesen des Menschen in das Wohnen in der Wahrheit des Seins verfügt. Dieses Wohnen ist das Wesen des « In-der-Welt-seins » (vgl. « S. u. Z. », S. 54). Der dortige Hinweis auf das « In-Sein » als « Wohnen » ist keine etymologische Spielerei. Der Hinweis in dem Vortrag von 1936 auf Hölderlins Wort « Voll Verdienst, doch dichterisch wohnet / der Mensch auf dieser Erde » ist keine Ausschmückung eines Denkens, das sich aus der Wissenschaft in die Poesie rettet. Die Rede vom Haus des Seins ist keine Uebertragung des Bildes vom « Haus » auf das Sein, sondern aus dem sachgemäss gedachten Wesen des Seins werden wir eines Tages eher denken können, was « Haus » und « wohnen » sind.

Gleichwohl schafft das Denken nie das Haus des Seins. Das Denken geleitet die geschichtliche Eksistenz, das heisst die humanitas des homo humanus, in den Bereich des Aufgangs des Heilen.

Mit dem Heilen zumal erscheint in der Lichtung des Seins das Böse. Dessen Wesen besteht nicht in der blossen Schlechtigkeit des menschlichen Handelns, sondern es beruht im Bösartigen des Grimmes. Beide, das Heile und das Grimmige können jedoch im Sein nur wesen, insofern das Sein selber das Strittige ist. In ihm verbirgt sich die Wesensherkunft des Nichtens. Was nichtet, lichtet sich als

156

maison par quoi l'Être en tant que ce qui joint, enjoint à chaque fois à l'essence de l'homme, conformément au destin, d'habiter dans la vérité de l'Être. Cet habiter est l'essence de l' « être-au-monde » (cf. *Sein und Zeit*, p. 54). L'indication donnée en ce passage sur l' « être-dans » comme « habiter » n'est pas un vide jeu étymologique. De même, dans la conférence de 1936, le renvoi à la parole de Hölderlin :

> *Voll verdienst, doch dichterisch wohnet*
> *der Mensch auf dieser Erde*

n'est point l'ornement d'une pensée qui, abandonnant la science, cherche son salut dans la poésie. Parler de la maison de l'Être, ce n'est nullement reporter sur l'Être l'image de la « maison ». Bien plutôt, c'est à partir de l'essence de l'Être pensée selon ce qu'elle est que nous pourrons un jour penser ce qu'est une « maison » et ce qu'est « habiter ».

Jamais toutefois la pensée ne crée la maison de l'Être. Elle conduit l'eksistence historique, c'est-à-dire l'humanitas de l'homo humanus, au domaine où se lève l'aube de l'indemne.

En même temps que l'indemne, dans l'éclaircie de l'Être, apparaît le malfaisant. L'essence du malfaisant ne consiste pas dans la pure malice de l'agir humain, elle repose dans la malignité de la fureur. L'un et l'autre, l'indemne et la fureur ne peuvent toutefois déployer leur essence dans l'Être qu'en tant que l'Être lui-même est le lieu du combat. En lui se cèle la provenance essentielle du néantiser. Ce qui néantise s'é-

das Nichthafte. Dieses kann im « Nein » angesprochen werden. Das « Nicht » entspringt keines-
falls aus dem Nein-sagen der Negation. Jedes
« Nein », das sich nicht als eigenwilliges Pochen
auf die Setzungskraft der Subjectivität missdeutet,
sondern ein sein-lassendes der Ek-sistenz bleibt, antwortet auf den Anspruch des gelichteten Nichtens.
Alles Nein ist nur die Bejahung des Nicht. Jede
Bejahung beruht im Anerkennen. Dieses lässt das,
worauf es geht, auf sich zukommen. Man meint, das
Nichten sei im Seienden selber nirgends zu finden.
Das trifft zu, solange man das Nichten als etwas
Seiendes, als eine seiende Beschaffenheit am Seien-
den sucht. Aber so suchend, sucht man nicht das
Nichten. Auch das Sein ist keine seiende Be-
schaffenheit, die sich am Seienden feststellen lässt.
Gleichwohl ist das Sein seiender als jegliches
Seiende. Weil das Nichten im Sein selbst west,
deshalb können wir es nie als etwas Seiendes am
Seienden gewahren. Vollends beweist der Hinweis
auf diese Unmöglichkeit niemals die Herkunft des
Nicht aus dem Nein-Sagen. Dieser Beweis scheint
nur dann zu tragen, wenn man das Seiende als das
Objektive der Subjektivität ansetzt. Man folgert
dann aus der Alternative, dass jedes Nicht, weil es
nie als etwas Objektives erscheint, unweigerlich das
Produkt eines Subjektaktes sein müsse. Ob jedoch
erst das Nein-sagen das Nicht setzt als ein bloss
Gedachtes, oder ob das Nichten erst das « Nein »
beansprucht als das zu Sagende im Seinlassen von

claircit comme ce qui a en lui le : ne... pas. On peut l'aborder dans le « non ». Mais le « ne-pas » ne provient aucunement du dire-non de la négation. Tout « non » qui ne se confond pas avec une manifestation du pouvoir qu'a la subjectivité de se poser elle-même, mais reste un laisser-être de l'ek-sistence, répond à la revendication du néantiser qui s'est éclairci. Tout non n'est que l'aveu du ne-pas, et tout aveu repose dans la reconnaissance. Celle-ci laisse venir à soi ce dont il s'agit. On croit qu'on ne peut nulle part trouver le néantiser dans l'étant lui-même. Cela est vrai, tant qu'on cherche le néantiser comme quelque chose d'étant, comme une modalité de l'ordre de l'étant qui affecte l'étant. Mais, cherchant de la sorte, on ne cherche pas le néantiser. L'Être lui-même n'est pas une modalité de cet ordre qu'on puisse constater dans l'étant. Et pourtant l'Être est plus étant que tout étant. Parce que le néantiser déploie son essence dans l'Être lui-même, on ne peut jamais l'apercevoir comme quelque chose d'étant qui affecte l'étant. Assurément, le renvoi à cette impossibilité ne prouve en rien que le ne-pas ait sa provenance dans le dire-non. Une telle preuve ne paraît porter que si l'on pose l'étant comme la réalité objective de la subjectivité. On déduit alors de l'alternative que tout ne-pas, n'apparaissant jamais comme quelque chose d'objectif, doit être sans conteste le produit d'un acte du sujet. Quant à savoir maintenant si le dire-non pose le ne-pas comme un pur objet de pensée, ou si le néantiser revendique d'abord le « non » comme ce qui est à

Seiendem, dies kann allerdings niemals aus der subjektiven Reflexion auf das bereits als Subjektivität angesetzte Denken entschieden werden. In solcher Reflexion ist die Dimension für die sachgerechte Fragestellung noch gar nicht erreicht. Zu fragen bleibt, ob denn nicht, gesetzt dass das Denken zur Ek-sistenz gehört, alles « Ja » und « Nein » schon eksistent ist in die Wahrheit des Seins. Ist es dies, dann sind « Ja » und « Nein » in sich schon hörig auf das Sein. Als diese Hörigen können sie niemals dasjenige erst setzen, dem sie selber gehören.

Das Nichten west im Sein selbst und keineswegs im Dasein des Menschen, insofern dieses als Subjektivität des ego cogito gedacht wird. Das Dasein nichtet keineswegs, insofern der Mensch als Subjekt die Nichtung im Sinne der Abweisung vollzieht, sondern das Da-sein nichtet, insofern es als das Wesen, worin der Mensch ek-sistiert, selbst zum Wesen des Seins gehört. Das Sein nichtet — als das Sein. Deshalb erscheint im absoluten Idealismus bei Hegel und Schelling das Nicht als die Negativität der Negation im Wesen des Seins. Dieses aber ist dort im Sinne der absoluten Wirklichkeit als der unbedingte Wille gedacht, der sich selbst will und zwar als der Wille des Wissens und der Liebe. In diesem Willen verbirgt sich noch das Sein als der Wille zur Macht. Weshalb jedoch die Negativität der absoluten Subjektivität die « dialektische » ist und weshalb durch die Dialektik das Nichten zwar zum Vorschein kommt,

dire dans le laisser-être de l'étant, une réflexion subjective sur la pensée déjà posée comme subjectivité ne peut assurément en décider. Une telle réflexion n'atteint nullement encore à la dimension où cette question peut être posée comme il convient. Reste à se demander, à supposer que la pensée appartienne à l'ek-sistence, si tout « oui » et tout « non » ne sont pas déjà eksistant en vue de la vérité de l'Être. S'il en est ainsi, le « oui » et le « non » sont déjà en eux-mêmes à l'écoute et au service de l'Être. En tant qu'ils sont dans cette dépendance, ils ne peuvent jamais poser d'abord ce à quoi ils appartiennent.

Le néantiser déploie son essence dans l'Être lui-même et nullement dans l'être-là de l'homme, pour autant qu'on pense cet être-là comme subjectivité de l'ego cogito. L'être-là ne néantise nullement, en tant que l'homme, pris comme sujet, accomplit la néantisation au sens du rejet, mais l'être-le-là néantise, en tant que pris comme l'essence au sein de laquelle l'homme ek-siste, il appartient lui-même à l'essence de l'Être. L'Être néantise — en tant qu'Être. C'est pourquoi, dans l'idéalisme absolu, chez Hegel et Schelling, le ne-pas apparaît comme la négativité de la négation dans l'essence de l'Être. Mais l'Être est alors pensé au sens de la réalité absolue, comme volonté inconditionnée qui se veut elle-même, et qui se veut comme volonté de savoir et d'amour. Dans cette volonté, l'Être comme volonté de puissance se cèle encore. Il ne peut toutefois s'agir ici d'examiner pourquoi la négativité de la subjectivité absolue est « dia-

aber zugleich im Wesen verhüllt wird, kann hier nicht erörtert werden.

Das Nichtende im Sein ist das Wesen dessen, was ich das Nichts nenne. Darum, weil es das Sein denkt, denkt das Denken das Nichts.

Sein erst gewährt dem Heilen Aufgang in Huld und Andrang zu Unheil dem Grimm.

Nur sofern der Mensch, in die Wahrheit des Seins ek-sistierend, diesem gehört, kann aus dem Sein selbst die Zuweisung derjenigen Weisungen kommen, die für den Menschen Gesetz und Regel werden müssen. Zuweisen heisst griechisch νέμειν. Der νόμος ist nicht nur Gesetz, sondern ursprünglicher die in der Schickung des Seins geborgene Zuweisung. Nur diese vermag es, den Menschen in das Sein zu verfügen. Nur solche Fügung vermag zu tragen und zu binden. Anders bleibt alles Gesetz nur das Gemächte menschlicher Vernunft. Wesentlicher als alle Aufstellung von Regeln ist, dass der Mensch zum Aufenthalt in die Wahrheit des Seins findet. Erst dieser Aufenthalt gewährt die Erfahrung des Haltbaren. Den Halt für alles Verhalten verschenkt die Wahrheit des Seins. « Halt » bedeutet in unserer Sprache die « Hut ». Das Sein ist die Hut, die den Menschen in seinem ek-sistenten Wesen dergestalt zu ihrer Wahrheit behütet, dass sie die Ek-sistenz in der Sprache behaust. Darum ist die Sprache zumal das Haus des Seins und die Behausung des Menschenwesens. Nur weil die Sprache die Behausung des Wesens des

lectique », et pourquoi le néantiser qui vient au jour par la dialectique est en même temps voilé dans l'essence.

Le néantisant dans l'Être est l'essence de ce que j'appelle le rien. C'est pourquoi la pensée, parce qu'elle pense l'Être, pense le rien.

Seul l'Être accorde à l'indemne son lever dans la grâce et à la fureur son élan vers la ruine.

C'est seulement en tant que l'homme ek-sistant en direction de la vérité de l'Être appartient à l'Être, que de l'Être lui-même peut venir l'assignation de ces consignes qui deviendront pour l'homme normes et lois. Assigner se dit en grec νέμειν. Le νόμος n'est pas seulement la loi, mais plus originellement l'assignation cachée dans le décret de l'Être. Cette assignation seule permet d'enjoindre l'homme à l'Être. Et seule une telle injonction permet de porter et de lier. Autrement toute loi n'est que le produit de la raison humaine. Plus essentiel que l'établissement de règles est la découverte par l'homme du séjour en vue de la vérité de l'Être. Ce séjour seul accorde l'expérience de ce qui tient. La vérité de l'Être fait don du maintien pour toute contenance. Le mot « Halt » signifie « garde » en notre langue. L'Être est la garde qui, pour sa vérité, a dans sa garde l'homme en son essence ek-sistante, de sorte qu'elle abrite l'ek-sistence dans le langage. C'est pourquoi le langage est à la fois la maison de l'Être et l'abri de l'essence de l'homme. C'est seulement parce que le langage est l'abri de l'essence de

Menschen ist, können die geschichtlichen Menschentümer und Menschen in ihrer Sprache nicht zuhause sein, sodass sie ihnen zum Gehäuse ihrer Machenschaften wird.

In welcher Beziehung steht nun aber das Denken des Seins zum theoretischen und praktischen Verhalten? Es übertrifft alles Betrachten, weil es sich um das Licht sorgt, in dem erst ein Sehen als Theoria sich aufhalten und bewegen kann. Das Denken achtet auf die Lichtung des Seins, indem es sein Sagen vom Sein in die Sprache als der Behausung der Eksistenz einlegt. So ist das Denken ein Tun. Aber ein Tun, das zugleich alle Praxis übertrifft. Das Denken durchragt das Handeln und Herstellen nicht durch die Grösse eines Leistens und nicht durch die Folgen eines Wirkens, sondern durch das Geringe seines erfolglosen Vollbringens.

Das Denken bringt nämlich in seinem Sagen nur das ungesprochene Wort des Seins zur Sprache.

Die hier gebrauchte Wendung « zur Sprache bringen » ist jetzt ganz wörtlich zu nehmen. Das Sein kommt, sich lichtend, zur Sprache. Es ist stets unterwegs zu ihr. Dieses Ankommende bringt das ek-sistierende Denken seinerseits in seinem Sagen zur Sprache. Diese wird so selbst in die Lichtung des Seins gehoben. Erst so *ist* die Sprache in jener geheimnisvollen und uns doch stets durchwaltenden Weise. Indem die also voll ins Wesen gebrachte Sprache geschichtlich ist, ist das Sein in das Andenken verwahrt. Die Ek-sistenz bewohnt

l'homme que les hommes et les humanités historiques peuvent être sans abri dans leur propre langue devenue pour eux l'habitacle de leurs machinations.

Mais dans quelle relation se situe la pensée de l'Être vis-à-vis du comportement théorique et pratique ? Cette pensée surpasse toute contemplation, parce qu'elle se soucie de la lumière en laquelle seule une vision comme théoria peut séjourner et se mouvoir. La pensée est attentive à l'éclaircie de l'Être, lorsqu'elle insère son dire de l'Être dans le langage qui est celui de l'abri de l'eksistence. C'est ainsi que la pensée est un faire. Mais un faire qui surpasse d'emblée toute praxis. La pensée est supérieure à toute action et production, non par la grandeur des réalisations ou par les effets qu'elle produit, mais par l'insignifiance de son accomplir qui est sans résultat.

Car la pensée, dans son dire, porte seulement au langage la parole inexprimée de l'Être.

La tournure ici employée : « *Zur Sprache bringen* », « porter au langage » [22] est désormais à prendre en son sens littéral. S'éclaircissant, l'Être vient au langage. Il est sans cesse en route vers lui. De son côté, la pensée ek-sistante porte au langage, dans son dire, cet avenant. Ainsi le langage est lui-même exhaussé dans l'éclaircie de l'Être. C'est alors seulement que le langage *est* de cette manière mystérieuse et qui néanmoins constamment nous gouverne. Lorsque le langage, ainsi porté à la plénitude de son essence, est historique, l'Être est gardé dans et pour la pensée-qui-le-pense. Lorsqu'elle pense, l'ek-sistence habite la maison

denkend das Haus des Seins. In all dem ist es so, als sei durch das denkende Sagen gar nichts geschehen.

Soeben hat sich uns jedoch ein Beispiel für dieses unscheinbare Tun des Denkens gezeigt. Indem wir nämlich die der Sprache zugeschickte Wendung « zur Sprache bringen » eigens denken, nur dies und nichts weiter, indem wir dies Gedachte als künftig stets zu Denkendes in der Acht des Sagens behalten, haben wir etwas Wesendes des Seins selbst zur Sprache gebracht.

Das Befremdliche an diesem Denken des Seins ist das Einfache. Gerade dieses hält uns von ihm ab. Denn wir suchen das Denken, das unter dem Namen « Philosophie » sein weltgeschichtliches Ansehen hat, in der Gestalt des Ungewöhnlichen, das nur Eingeweihten zugänglich ist. Wir stellen uns das Denken zugleich nach der Art des wissenschaftlichen Erkennens und seiner Forschungsunternehmen vor. Wir messen das Tun an den eindrucksvollen und erfolgreichen Leistungen der Praxis. Aber das Tun des Denkens ist weder theoretisch noch praktisch, noch ist es die Verkoppelung beider Verhaltungsweisen.

Durch sein einfaches Wesen macht sich das Denken des Seins für uns unkenntlich. Wenn wir uns jedoch mit dem Ungewohnten des Einfachen befreunden, dann befällt uns sogleich eine andere Bedrängnis. Der Verdacht steigt auf, dieses Denken des Seins verfalle der Willkür; denn es kann sich

de l'Être. Et il en est de tout cela comme si, par le dire pensant, absolument rien ne s'était produit.

Mais, à l'instant même, un exemple s'offre à nous de ce faire inapparent de la pensée. Lorsque, en effet, nous pensons proprement cette tournure au langage destinée « porter au langage », cette tournure et rien de plus, lorsque, dans toute l'attention du dire, nous maintenons ce que nous venons de penser comme ce qui désormais sera toujours à-penser, nous avons porté au langage quelque chose où se déploie l'essence de l'Être lui-même.

Le surprenant dans cette pensée de l'Être, c'est ce qu'elle a de simple. C'est cela justement qui nous éloigne d'elle. Car nous ne recherchons la pensée qui s'est présentée au cours de l'histoire sous le nom de « philosophie » que sous la forme de l'inhabituel, accessible aux seuls initiés. Nous nous représentons la pensée sur le mode de la connaissance et de la recherche scientifiques. Nous mesurons le faire aux réalisations impressionnantes et couronnées de succès de la praxis. Mais le faire de la pensée n'est ni théorique ni pratique; il ne consiste pas davantage dans l'union de ces deux modes de comportement.

Par la simplicité de son essence, la pensée de l'Être se fait pour nous inconnaissable. Si, toutefois, nous nous familiarisons avec ce que cette simplicité a d'insolite, une autre difficulté nous guette. Le soupçon nous gagne que cette pensée de l'Être ne sombre dans

nicht an das Seiende halten. Woher nimmt das Denken sein Mass? Welches ist das Gesetz seines Tuns?

Hier muss die dritte Frage Ihres Briefes gehört werden : comment sauver l'élément d'aventure que comporte toute recherche sans faire de la philosophie une simple aventurière ? Nur im Vorbeigehen sei jetzt die Dichtung genannt. Sie steht der selben Frage in der selben Weise gegenüber wie das Denken. Aber immer noch gilt das kaum bedachte Wort des Aristoteles in seiner Poetik, dass das Dichten wahrer sei als das Erkunden von Seiendem.

Allein das Denken ist nicht nur als Suchen und Hinausfragen in das Ungedachte une aventure. Das Denken ist in seinem Wesen als Denken des Seins von diesem in den Anspruch genommen. Das Denken ist auf das Sein als das Ankommende (l'avenant) bezogen. Das Denken ist als Denken in die Ankunft des Seins, in das Sein als die Ankunft gebunden. Das Sein hat sich dem Denken schon zugeschickt. Das Sein *ist* als das Geschick des Denkens. Das Geschick aber ist in sich geschichtlich. Seine Geschichte ist schon im Sagen der Denker zur Sprache gekommen.

Diese bleibende und in ihrem Bleiben auf den Menschen wartende Ankunft des Seins je und je zur Sprache zu bringen, ist die einzige Sache des Denkens. Darum sagen die wesentlichen Denker stets das Selbe. Das heisst aber nicht : das Gleiche. Freilich sagen sie dies nur dem, der sich darauf ein-

l'arbitraire; car elle ne peut se tenir à l'étant. Sur quoi donc la pensée se règle-t-elle ? Quelle est la loi de son faire ?

C'est ici qu'il nous faut entendre la troisième question de votre lettre : *comment sauver l'élément d'aventure que comporte toute recherche sans faire de la philosophie une simple aventurière ?* Ne nommons qu'en passant, pour le moment, la poésie. Elle se situe devant la même question et de la même manière que la pensée. Mais demeure toujours valable le mot à peine remarqué d'Aristote dans sa *Poétique,* selon lequel la création poétique est plus vraie que l'exploration méthodique de l'étant.

Toutefois, la pensée n'est pas seulement, comme recherche et question dirigée sur le non-pensé, *une aventure.* La pensée est, dans son essence, comme pensée de l'Être, revendiquée par l'Être. La pensée se rapporte à l'Être comme à *l'avenant.* La pensée est, comme pensée, liée à la venue de l'Être, à l'Être en tant qu'il est la venue. Déjà l'Être s'est destiné à la pensée. L'Être *est,* en tant que le destin de la pensée. Mais le destin est en soi historique. Déjà, dans le dire des penseurs, son histoire est venue au langage.

Porter à chaque fois au langage cette venue de l'Être, venue qui demeure et dans ce demeurer attend l'homme, est l'unique affaire de la pensée. C'est pourquoi les penseurs essentiels disent constamment le même. Ce qui ne veut pas dire : l'identique. Assurément ils ne le disent que pour celui qui s'engage à

lässt, ihnen nachzudenken. Indem das Denken, geschichtlich andenkend, auf das Geschick des Seins achtet, hat es sich schon an das Schickliche gebunden, das dem Geschick gemäss ist. In das Gleiche flüchten ist ungefährlich. Sich in die Zwietracht wagen, um das Selbe zu sagen, ist die Gefahr. Die Zweideutigkeit droht und der blosse Zwist.

Die Schicklichkeit des Sagens vom Sein als dem Geschick der Wahrheit ist das erste Gesetz des Denkens, nicht die Regeln der Logik, die erst aus dem Gesetz des Seins zu Regeln werden können. Auf das Schickliche des denkenden Sagens achten, schliesst aber nicht nur dies ein, dass wir uns jedesmal auf das besinnen, *was* vom Sein zu sagen und *wie* es zu sagen ist. Gleich wesentlich bleibt zu bedenken, *ob* das zu Denkende, inwieweit es, in welchem Augenblick der Seinsgeschichte, in welcher Zwiesprache mit dieser und aus welchem Anspruch es gesagt werden darf. Jenes dreifache, das ein früherer Brief erwähnte, ist in seiner Zusammengehörigkeit aus dem Gesetz der Schicklichkeit des seinsgeschichtlichen Denkens bestimmt : die Strenge der Besinnung, die Sorgfalt des Sagens, die Sparsamkeit des Wortes.

Es ist an der Zeit, dass man sich dessen entwöhnt, die Philosophie zu überschätzen und sie deshalb zu überfordern. Nötig ist in der jetzigen Weltnot : weniger Philosophie, aber mehr Achtsamkeit des Denkens; weniger Literatur, aber mehr Pflege des Buchstabens.

penser sur leurs traces. Lorsque la pensée, pensant l'Être historiquement, est attentive au destin de l'Être, elle s'est déjà liée à la convenance qui est conforme à ce destin. Se réfugier dans l'identique n'est pas dangereux. Mais se risquer dans la dissension pour dire le même, voilà le danger. L'ambiguïté menace et la pure discorde.

La convenance du dire de l'Être comme destin de la vérité est la loi première de la pensée, et non les règles de la logique qui ne peuvent devenir règles qu'à partir de la loi de l'Être. Mais être attentif à la convenance du dire pensant n'inclut pas seulement qu'à chaque fois nous réfléchissions à *ce qui* est à dire de l'Être et au *comment* cela est à dire. Tout aussi essentiel reste à penser *si* on peut dire ce qui est à-penser et jusqu'à quel point, à quel moment de l'histoire de l'Être et dans quel dialogue avec cette histoire, à partir enfin de quelle revendication. Ces trois points que mentionnait une lettre précédente [23] sont, dans leur parenté, déterminés à partir de la loi de convenance de la pensée historico-ontologique : la rigueur de la réflexion, l'attention vigilante du dire, l'économie des mots.

Le moment est venu de cesser de surestimer la philosophie et par le fait même de trop lui demander. Tel est bien ce qu'il nous faut dans la pénurie actuelle du monde : moins de philosophie et plus d'attention à la pensée; moins de littérature et plus de soin donné à la lettre comme telle.

Das künftige Denken ist nicht mehr Philosophie, weil es ursprünglicher denkt als die Metaphysik, welcher Name das gleiche sagt. Das künftige Denken kann aber auch nicht mehr, wie Hegel verlangte, den Namen der « Liebe zur Weisheit » ablegen und die Weisheit selbst in der Gestalt des absoluten Wissens geworden sein. Das Denken ist auf dem Abstieg in die Armut seines vorläufigen Wesens. Das Denken sammelt die Sprache in das einfache Sagen. Die Sprache ist so die Sprache des Seins, wie die Wolken die Wolken des Himmels sind. Das Denken legt mit seinem Sagen unscheinbare Furchen in die Sprache. Sie sind noch unscheinbarer als die Furchen, die der Landmann langsamen Schrittes durch das Feld zieht.

La pensée à venir ne sera plus philosophie, parce qu'elle pensera plus originellement que la métaphysique, mot qui désigne la même chose. La pensée à venir ne pourra pas non plus, comme Hegel le réclamait, abandonner le nom d' « amour de la sagesse » et devenir sagesse elle-même sous la forme du savoir absolu. La pensée redescendra dans la pauvreté de son essence provisoire. Elle rassemblera le langage en vue du dire simple. Ainsi le langage sera le langage de l'Être, comme les nuages sont les nuages du ciel. La pensée, de son dire, tracera dans le langage des sillons sans apparence, des sillons de moins d'apparence encore que ceux que le paysan creuse d'un pas lent à travers la campagne.

NOTES

1. *Zur Sprache kommen.* Cette expression signifie normalement : venir en question. De même, un peu plus loin : *zur Sprache bringen* : soulever une question.

2. Heidegger rapproche *gehören*, appartenir, de *hören*, écouter.

3. *Geschicklich* : le mot n'existe pas dans la langue courante. Heidegger le forme à partir de *Geschick* : destin. *Geschick* est souvent rapproché de *schicken*, envoyer. Par exemple : « *Das Sein als das Geschick, das Wahrheit schickt...* » (p. 100). Le jeu de mot est également possible en français si l'on prend destin au sens de : ce qui destine. C'est pourquoi nous traduisons à chaque fois *schicken* par destiner et *Geschick* par destin.

4. Polyvalence du mot *mögen*. Ici : les pouvoir et les vouloir en les désirant.

5. *Sein lassen* peut aussi vouloir dire : laisser être. Il faut lui maintenir également ce sens.

6. *Ansprechen.* Le premier sens de ce verbe est : aborder quelqu'un, lui adresser la parole (*an-sprechen*). Par assimilation, *Anspruch*, qui signifie : revendication, a également ce sens dans la même phrase et au paragraphe suivant, d'où la construction « in diesem Anspruch *an* den Menschen ». Pour maintenir à la fois l'idée de parole adressée et de revendication, on pourrait traduire *ansprechen* par : ré-clamer. L'Etre aborde l'homme, il le ré-clame, c'est-à-dire, dans la parole qu'il lui adresse, le revendique. (Et cette parole qu'il lui adresse l'avertit

par elle-même du danger de n'avoir, en réponse, que peu ou rarement quelque chose à dire.)

Lorsque, dans la traduction, revient ce mot de « revendication » ou le verbe « revendiquer », l'idée de parole adressée, plus explicite en ce passage, demeure toujours présente.

7. *Das Da.* Heidegger isole dans le mot : *Dasein* qui désigne couramment l'existence, et partant de son étymologie d' « être-là », l'adverbe « da », « là ».

8. *Stehen.* Selon l'étymologie, « état » vient de *stare,* se tenir debout.

9. *Das Da-sein.* Cette traduction est indispensable, si l'on veut rendre exactement la pensée de Heidegger. Elle nous a été demandée par le philosophe lui-même qui l'avait suggérée déjà à Jean Beaufret, dans la lettre reproduite ci-après. Traduire simplement *das Da-sein* par : l'être-là, c'est risquer d'interpréter cet existential dans le sens de la « facticité » sartrienne. L'homme n'est pas cet étant qui est « là », c'est-à-dire jeté dans la contingence d'une existence donnée. Il est le « là » de l'Être, celui qui permet *à l'Être* d'être là, de se dévoiler *hic et nunc.*

10. Heidegger joue ici sur l'étymologie de *Fort-schreiten : schreiten fort,* s'éloigner d'un point donné.

11. Le mot *Andenken* évoque normalement l'idée de souvenir (Mémorial, remémoration). En fait, Heidegger l'a choisi par opposition à *Denken* pour désigner une pensée totalement dégagée des modes de représentation du savoir objectivant, qui laisse l'Être être, c'est-à-dire pense l'Être dans l'élément de l'Être : *Denken am Sein selbst.* Cf. R. MUNIER, *Visite à Heidegger*, Cahiers du Sud, tome XXXV, n° 312, p. 295.

12. C'est-à-dire : « en tant que celui-ci s'expose extatiquement dans le dévoilement » (commentaire donné par Heidegger).

13. *Das « Gemächte »* : le mot n'existe pas dans la langue courante.

14. Ce terme de *Geworfenheit* a été traduit très inexactement par : déréliction. Il faut l'entendre strictement,

en tant qu'existential et sans aucune nuance éthique, comme la situation qui résulte pour l'homme du fait d'être « jeté » par l'Être.

15. Ici et dans les phrases suivantes, nous traduisons *die Sache* par « objet », tout en reconnaissant l'insuffisance de ce mot.

16. Heidegger évoque ici la philosophie de Jaspers.

17. Cf. note 3.

18. « *in die...* » : « dans et vers... ».

19. Cf. note 11. Nous avions traduit *Andenken* par « Mémorial-pensé-dans-l'Etre ». Nous traduisons *Andenken an das Sein*, par « pensée de l'Être dans l'Être ».

20. *In die Wahrnis seiner Wahrheit.* Heidegger rapproche *Wahrnis* à la fois du verbe *wahren* (= *bewahren*), garder, protéger, mettre à l'abri, et de l'adjectif *wahr* : **vrai**.

22. Cf. note 1.

23. Nous reproduisons, à la page suivante, avec l'autorisation de Jean Beaufret, le texte de cette lettre, qu'on peut considérer comme une sorte d'avant-première de la *Lettre sur l'Humanisme*.

LETTRE A MONSIEUR BEAUFRET

Freiburg, den 23. November 1945

SEHR GEEHRTER HERR BEAUFRET!

Ueber Ihren freundlichen Brief, den mir Herr Palmer vor einigen Tagen überbrachte, habe ich mich sehr gefreut.

Seit einigen Wochen erst kenne ich Ihren Namen durch Ihre ausgezeichneten Aufsätze in den *Confluences* über den « Existentialismus ». Leider besitze ich bis jetzt nur Nr. 2 und 5 der Zeitschrift. Aber schon aus dem ersten Artikel (in Nr. 2) erkenne ich den hohen Begriff, den Sie vom Wesen der Philosophie haben. Hier sind noch verborgene Bereiche, die erst in der Zukunft ans Licht kommen. Das geschieht aber nur, wenn die Strenge des Denkens, die Sorgfalt des Sagens und die Sparsamkeit des Wortes noch unter ganz andere Massstäbe gestellt werden als bisher. Sie selbst sehen, dass hier die Kluft klafft, die mein Denken von der Philosophie Jaspers trennt, ganz abgesehen von der ganz anderen Frage, die mein Denken bewegt

Fribourg, le 23 novembre 1945.

CHER MONSIEUR BEAUFRET,

Votre lettre amicale, que m'a transmise, il y a quelques jours, M. Palmer, m'a fait grand plaisir.

Je ne connais votre nom que depuis quelques semaines, par les excellents articles sur l' « existentialisme » que vous avez publiés dans *Confluences*. Je ne possède malheureusement, jusqu'ici, que les n°s 2 et 5 de la revue. Mais dès le premier article (dans le n° 2) m'est apparu le concept élevé que vous avez de l'essence de la philosophie. Il est ici encore des domaines cachés qui ne s'éclaireront que dans l'avenir. Mais ceci ne se fera que si la rigueur de la pensée, l'attention vigilante du dire et l'économie des mots retrouvent un tout autre crédit que celui qu'elles ont eu jusqu'alors. Vous voyez vous-même qu'un abîme sépare ici ma pensée de la philosophie de Jaspers, sans parler de la question tout autre qui anime ma

und die man seltsamerweise überhaupt noch nicht begriffen hat. Ich schätze Jaspers als Persönlichkeit und als Schriftsteller sehr hoch, seine Wirkung auf die akademische Jugend ist bedeutend, aber die schon fast kanonisch gewordene Zusammenstellung « Jaspers und Heidegger » ist *das* Missverständnis par excellence, das über unsere Philosophie umläuft. Es wird nur noch übertroffen durch die Vorstellung, meine Philosophie sei « Nihilismus », meine Philosophie, die nicht nur, wie alle Philosophie bisher nach dem Sein des Seienden fragt (l'être de l'étant) sondern nach der Wahrheit des Seins (la vérité de l'être). Das Wesen des Nihilismus dagegen besteht darin, dass er das nihil nicht zu denken vermag. Ich spüre, soweit ich das seit einigen Wochen erst kennen gelernt habe, im Denken der jüngeren Philosophen Frankreichs einen ungeheuren élan, der darauf deutet, dass sich da eine Revolution vorbereitet.

Treffend ist, was Sie zur Uebersetzung von « Dasein » durch « réalité humaine » sagen. Ausgezeichnet die Bemerkung : « mais si l'allemand a ses ressources, le français a ses limites »; hier verbirgt sich ein wesentlicher Hinweis auf Möglichkeiten, gegenseitig, wechselweise im produktiven Denken von einander zu lernen.

« Da-sein » ist ein Schlüsselwort meines Denkens und daher auch der Anlass zu grossen Missdeutungen. « Da-sein » bedeutet für mich nicht so sehr « me voilà! » sondern, wenn ich es in einem

pensée et que, de curieuse façon, on a jusqu'ici méconnue absolument. J'estime grandement Jaspers comme
personnalité et comme écrivain, son influence sur la
jeunesse universitaire est considérable. Mais le rapprochement devenu presque classique « Jaspers et
Heidegger » est *le* malentendu *par excellence* qui cir-
cule dans notre philosophie. Ce malentendu est à son
comble, lorsqu'on voit dans ma philosophie un
« nihilisme », ma philosophie qui ne questionne pas
seulement, comme toute philosophie antérieure, sur
l'être de l'étant, mais sur *la vérité de l'être.* L'essence
du nihilisme tient au contraire en ceci qu'il est inca-
pable de penser le nihil. Je pressens, pour autant que
j'aie pu m'en rendre compte depuis quelques semaines
seulement, dans la pensée des jeunes philosophes de
France un *élan* extraordinaire qui montre bien qu'en
ce domaine une révolution se prépare.

Ce que vous dites de la traduction de « Da-sein »
par « *réalité humaine* » est fort juste. Excellente également la remarque : « *Mais si l'allemand a ses ressources, le français a ses limites* »; ici se cache une
indication essentielle sur les possibilités de s'instruire
l'un par l'autre, au sein d'une pensée productive, dans
un mutuel échange.

« Da-sein » est un mot clé de ma pensée, aussi
donne-t-il lieu à de graves erreurs d'interprétation.
« Da-sein » ne signifie pas tellement pour moi « *me
voilà!* », mais, si je puis ainsi m'exprimer en un fran-

vielleicht unmöglichen Französisch sagen darf :
être le-là. Und le-là ist gleich 'Αλήθεια : Unverborgenheit — Offenheit.

Doch das ist nur ein äusserlicher Hinweis. Zum
fruchtbaren Denken bedarf es nicht nur des Schrei-
bens und Lesens, sondern der συνουσία des Ge-
spräches und der lernend-lehrenden Arbeit...

MARTIN HEIDEGGER

çais sans doute impossible : *être le-là* et *le-là* est précisément Ἀλήθεια : décèlement — ouverture.

Mais ceci n'est qu'une indication rapide. La pensée féconde requiert, en plus de l'écriture et de la lecture, la συνουσία de la conversation et de ce travail qui est enseignement reçu tout autant que donné...

MARTIN HEIDEGGER

GLOSSAIRE

des principaux termes du vocabulaire heideggerien utilisés
dans la *Lettre sur l'Humanisme.*

A

Andenken : mémorial-
pensé-dans-l'Être.

Andenken an das Sein :
pensée de l'Être dans
l'Être (cf. note 11).

Ankommende (das) : l'avenant.

Ansprechen : revendiquer.

Anspruch : revendication.
  *In den Anspruch
  nehmen* : revendi-
  quer.

D

Dasein : être-là.

Da-sein : être-le-là.

Da (das) : le « là ».

Denkwürdig : mémorable.

Denk-würdig : digne d'être
pensé.

E

Entwurf : projet (non au
sens existentiel, mais en
tant que réplique au
Wurf de l'Être; *Ent-*
wurf).

Existenz : existence.

Eksistenz : eksistence.

Ek-sistenz : ek-sistence.

Eksistent : eksistant.

Ek-sistieren : ek-sister.

F

Fuge (die) : ce qui joint.
  Verfügen : enjoindre.
  Durchfügt : ajointé.
Fügung : injonction.

G

Geschick : destin.
  Schicken : destiner.

Geschicklich : selon sa destination et conformément
à son savoir-faire (cf.
note 3).

Geschichte : histoire.
  Historie : chronologie.

H

Heile (das) : l'indemne.

Heilige (das) : le Sacré.

Hinaus-stehen : ek-stase.

Hörig : à l'écoute et au service de...

I

In-der-Welt-sein : être-au-monde.

Innestehen : in-stance.

L

Lichtung : éclaircie (le sens premier est : clairière, percée de lumière).

Lichten : éclaircir.

O

Offenheit : ouverture.

Offene (das) : l'ouvert.

S

Schicken : destiner.

Schickliche (das) : convenance propre.

Schicklichkeit : convenance propre.

Schickung : décret.

Sein (das) : l'Être.
(Nous écrivons le mot avec une majuscule, suivant en cela Heidegger lui-même : « Denken ist l'engagement par l'Être pour l'Être. » (p. 28.) Et plus loin : « Penser c'est l'engagement de l'Être. »

« Noch wartet das Sein dass *Es* selbst... » (p. 52.)

« Doch das Sein — was ist das Sein ? Es ist *Es* selbst. » (p. 76.)

« Das Sein selber ist das Verhältnis insofern *Es*... » (p. 80.)

« Précisément nous sommes sur un plan où il y a principalement l'Être. » (p. 86.) « Woher aber kommt und was ist le plan ? l'Être et le plan sind das Selbe. In « S.u.Z. » (S. 212) ist mit Absicht und Vorsicht gesagt : il y a l'Être... (p. 86.)

« Zum Geschick kommt das Sein, indem *Es*, das Sein, sich gibt. » (p. 90.)

Seiende (das) : l'étant.

Seinsgeschichtlich : historico-ontologique, sur le plan de l'histoire de l'Etre.

Sein lassen : laisser être, faire-être.

Sorge : souci.
  Sorge für das Sein : souci de l'Être.

Sprache : langage.
  Zur Sprache bringen : porter au langage.
  Zur Sprache kommen : venir au langage; sens usuel : venir en question.

V

Verbergen : celer.
  Verborgen : celé.
Verborgenheit : cèlement.
  (*Unverborgenheit* :
  décèlement.)
Verfallen : déchéance.
Verhüllt : voilé.

W

Wächterschaft : vigilance.
Wahrnis : garde véridique,
 sauvegarde (cf. note 21).

Wesen : essence.

Wesen (verbe) : se dé-
 ployer, déployer son
 essence.

Wurf : projection dans
 l'existence, acte de jeter,
 ce qui jette.

Werfen : jeter.
  Geworfen : jeté.
  Geworfenheit : situa-
  tion, fait d'être jeté
  (cf. note 14).

TABLE DES MATIÈRES

ACHEVÉ
D'IMPRIMER

SUR LES
PRESSES D'AUBIN
LIGUGÉ (VIENNE)
LE 30 MARS
1964

D. L., 1-1964. — Editeur, n° 1.052. — Imprimeur, n° 3.280.
Imprimé en France.